BOOK LOAN

Please RETURN or RENEW it no later
than the last date shown below

PORTUGAL :
QUELLE RÉVOLUTION ?

DU MÊME AUTEUR
chez le même éditeur

LE PORTUGAL BAILLONNÉ

MARIO SOARES

PORTUGAL :
QUELLE RÉVOLUTION ?

Entretiens avec
DOMINIQUE POUCHIN

CALMANN-LÉVY

ISBN 2-7021-0106-2

© CALMANN-LÉVY, 1976

Imprimé en France

CHAPITRE PREMIER

Autoportrait

Dominique POUCHIN. — *Mario Soares, vous avez cinquante ans. Avocat, vous avez épousé une comédienne. Vous vivez à l'aise dans un appartement très confortable, à la périphérie de Lisbonne. Vous savez apprécier les rares heures passées dans votre maison de campagne. Vos deux enfants, un garçon et une fille, sont aujourd'hui assez âgés pour vous épargner certains soucis. Vous n'avez jamais rencontré de véritables difficultés matérielles. L'image traditionnelle, en somme, d'un bourgeois respectable. Les traits vous sembleront forcés et vous récuserez le portrait.*

Mario SOARES. — Pourquoi? Il me convient. Tout cela est rigoureusement vrai. Vous auriez pu ajouter que je fus un enfant gâté. Mon père possédait et dirigeait un collège — un des meilleurs de Lisbonne disait-on à l'époque. Il s'était fait une petite fortune et a pu m'éduquer sans problème, dans une certaine aisance. Devenu avocat, j'ai moi-même gagné beaucoup d'argent. Mes habitudes sont peut-être de celles qu'on appelle volontiers bourgeoises. Une bonne table dans un bon restaurant, le théâtre et le cinéma, les ballets quelquefois : pourquoi rejeter ses plaisirs favoris? J'aime aussi voyager et je ne choisis pas, par principe, les hôtels modestes, même si, exilé à Paris, j'ai su vivre un an dans un petit hôtel du quartier Latin. C'est

vrai, j'ai des goûts peut-être chers, une prédilection pour
la peinture et pour les livres : je possède une bonne collection de tableaux portugais et ma bibliothèque est bien
garnie.

D. P. — *N'avez-vous jamais cherché à renier votre classe ?*
M. S. — Non. Je me sens très bien dans la peau d'un
bourgeois et ne tiens pas à me faire passer pour ce que je
ne suis pas. L'ouvriérisme m'irrite : je n'ai jamais eu ce
complexe de culpabilité qu'éprouvent certains intellectuels pour n'être pas nés ouvriers ou n'avoir jamais travaillé de leurs mains.

D. P. — *La bourgeoisie aurait-elle donc ses charmes ?*
M. S. — Les jolies femmes, par exemple. Mais on en
trouve ailleurs que dans la bourgeoisie. Allons plus
loin : quelle sorte de bourgeois suis-je véritablement ?
Proscrit de mon pays, j'ai vécu quatre années à Paris et je
suis devenu professeur à l'université de Vincennes, où j'en-
seignais les institutions politiques portugaises. C'était la
grande époque de la contestation : on entrait dans les
cours, on tutoyait les professeurs, une bonne pagaille. J'ai
été très contesté par des étudiants portugais d'extrême-
gauche qui amenaient des amis français en renfort. Je
suis parvenu, non sans mal, à les convaincre de me laisser
parler.

D. P. — *Que vous reprochaient-ils ?*
M. S. — Parfois, d'être fasciste et colonialiste, rien de
moins! On publiait des tracts et des caricatures : j'étais
l'agent de la bourgeoisie, le complice de Caetano, le
social-démocrate qui voulait vendre son pays... Un jour,
j'ai appris que ces tracts étaient faits à l'ambassade portugaise, sous les directives d'un attaché militaire chargé par

la police politique de surveiller les milieux d'immigration. Curieux révolutionnaires... Ma cravate aussi avait le malheur de déplaire. J'avais bien constaté, dans le métro et l'autobus qui me conduisaient à la faculté, que les cravates se raréfiaient. Une petite statistique personnelle m'avait même montré que les derniers « cravatés » étaient presque tous africains. J'aurais très bien pu retirer la mienne mais, après tout, pourquoi fallait-il céder à la mode du milieu? Pourtant, cela suffisait à certains pour me lancer, le ton accusateur, l'injure suprême de Vincennes : « Tu es un bourgeois. » J'ai alors répondu ce que je répète aujourd'hui : si être bourgeois, c'est être né d'une famille bourgeoise et n'avoir jamais eu à travailler pour payer ses études, je le suis en effet. Mais si c'est mettre sa situation au-dessus de toute autre considération et ne rien risquer qui la mette en péril, alors je suis plutôt le contraire d'un bourgeois. Je n'ai jamais été un homme stable. Le risque m'a partout accompagné. Quand on frappait à ma porte, à l'heure où l'aube point à peine, je ne savais pas si c'était le laitier ou des messieurs moins bien intentionnés. Voilà qui ne répond guère aux clichés du bourgeois pantouflard.

D. P. — *Épouser une comédienne, était-ce aussi une petite aventure, un brin d'anticonformisme?*

M. S. — Pas si aventureux pour ma famille. Au début, l'idée a paru un peu bizarre, mais ma femme avait une grande réputation, beaucoup de succès au Portugal. Et a été toujours une compagne exemplaire.

D. P. — *Si vous appreniez, demain, que votre maison de campagne est occupée par une famille de mal-logés — ce fut une pratique assez courante au Portugal — que diriez-vous?*

M. S. — Cela m'ennuierait. Peut-être devrais-je me résigner, faute de pouvoir m'opposer à des actions qui n'aident en rien à régler les problèmes. Mais ce serait mentir de vous dire que cela me ferait plaisir. J'aime cette maison, et je regrette seulement de ne pouvoir y aller plus souvent.

D. P. — *Aimez-vous l'argent?*

M. S. — Ce qu'il faut pour bien vivre, mais je n'ai jamais su réaliser d'opérations avec l'argent que j'ai gagné ou le fruit des héritages.

D. P. — *Juste assez pour dépenser beaucoup?*

M. S. — Pas tant en réalité. L'activité politique surtout m'a coûté cher. Un mouvement clandestin fonctionne grâce aux contributions volontaires : il faut sortir des journaux, acheter les machines pour les imprimer, payer les déplacements et en plus, pour un avocat militant, financer les procès politiques. J'ai défendu des centaines de détenus politiques sans toucher le moindre sou.

D. P. — *Vous vous êtes privé d'argent pour le parti?*

M. S. — Non. Je ne pourrais prétendre cela, puisque je n'ai pas connu de réelles difficultés. A part les livres, les tableaux et les voyages, je ne faisais guère de dépenses somptuaires. En exil, j'ai tout de même dû faire attention à mes sorties. A mon retour, j'ai perçu le salaire d'un ministre — trente-cinq contos [1], le maximum légal au Portugal — auquel s'ajoutaient les droits d'auteur sur mon livre *Le Portugal bâillonné* [2], publié en portugais au lendemain du 25 avril. Mais la maison d'édition ici a été nationalisée; et, malgré l'important succès de librairie, je n'ai touché à ce jour qu'un cinquième de mon dû.

1. 35 000 escudos, environ 6 000 francs.
2. Calmann-Lévy, éditeur.

D. P. — *Ces gains tirés d'un livre qui est un instrument de combat politique vous sont-ils acquis personnellement? Ne sont-ils pas plutôt un bien collectif du parti?*

M. S. — Pas du tout, pourquoi? J'écris volontiers pour le parti, et si ces textes sont publiés, leur rapport nourrit, bien sûr, les caisses du parti. Je contribue régulièrement au journal de mon organisation, sans toucher un écu. Mais il s'agit là d'un livre personnel, écrit en exil, publié en France par un éditeur privé — qui, lui, n'a pas été nationalisé. Tout cela m'appartient. Depuis que je ne suis plus ministre et que je n'exerce plus ma profession, j'ai le salaire des permanents du parti, quinze contos par mois[1], mais je verse au parti mon salaire de député.

D. P. — *Un seul et même salaire, de la militante-dactylo au secrétaire général?*

M. S. — Non. Les instances du parti en ont décidé autrement : il y a évidemment un éventail de salaires.

D. P. — *Ministre, reversiez-vous une partie de votre salaire au parti?*

M. S. — Non. La question a été débattue, mais on a finalement jugé préférable de laisser à chacun le soin de fixer sa contribution. Pour ma part, je ne verse que ma cotisation normale — cent escudos par mois[2] mais je paie tous mes déplacements et ne présente jamais de note de frais au secrétariat du parti. Je contribue aussi avec des dons personnels dans les moments difficiles.

D. P. — *Le confort et les petites fantaisies, des habitudes de bon vivant, sans excès ni privation : on chercherait en vain les traits particuliers d'un dirigeant plongé dans une révolution?*

M. S. — Mais n'est-ce pas aussi vrai des grands révo-

1. 2 600 francs.
2. 17 francs.

lutionnaires ? Rassurez-vous, je n'ai pas la prétention d'en être un. La plupart d'entre eux ne sont-ils pas issus de la même classe que la mienne ? Quand j'étais au Parti communiste, on a voulu me pousser vers une vie clandestine. On me l'a suggéré; certains m'ont assuré qu'un jour ou l'autre j'y serais contraint. Mais j'ai toujours lutté pour rester dans la légalité. Je me serais trouvé frustré si j'avais dû vivre dix ans dans la clandestinité, coupé des miens, de mes amis, privé de lecture et de voyage, tout ce qui fait le charme d'une vie. La politique est une chose importante, centrale même, mais cela n'exclut pas le reste. Aussi ai-je accepté le risque de la prison, mais évité volontairement la contrainte de la clandestinité.

Je ne suis pas très sensible à cette aura romantique que l'on prête facilement aux valeureux révolutionnaires. Je me vois comme un homme politique qui assume ses responsabilités : nous avons fait une révolution, je suis dès lors nécessairement révolutionnaire. Mais je n'imiterai pas ces hommes, civils et militaires, qui n'ont jamais seulement pensé à la révolution avant le 25 avril et qui, aujourd'hui, bombent le torse ou se frappent la poitrine en psalmodiant : « Je suis un révolutionnaire. » Ont-ils conscience du ridicule ? Vous ne m'avez jamais vu tenir de tels propos en public. Ce sont des choses qu'on ne dit pas de soi-même.

D. P. — *Mais vous avez tout de même quelque souci de votre carrière. Vous soignez votre profil.*

M. S. — Ma carrière ? J'ai été avocat. J'aimais mon métier et je jouissais d'un certain renom. L'exil a tout interrompu. Je continue à verser ma cotisation à l'ordre des avocats mais j'ai fermé mon cabinet. J'ai été professeur, je ne le suis plus. J'aimais écrire, je n'ai plus le temps de m'y consacrer. Je suis maintenant secrétaire général du parti socialiste, sans même avoir essayé de le devenir. On m'y a poussé et j'ai souvent pensé que je n'étais pas vraiment fait pour assumer cette tâche. Ai-je donc l'ambition de préserver mon poste? On ne peut rester dirigeant d'un parti toute sa vie : il faut se maintenir tant que les circonstances l'exigent et que les camarades le veulent. Que ferai-je ensuite? Écrire, étudier, enseigner, retourner au barreau? Je n'en sais rien, je ne forme aucun projet.

D. P. — *Être premier ministre?*

M. S. — Si le pays accède à une situation démocratique où ce titre échoit de droit au secrétaire du parti majoritaire, c'est une hypothèse plausible. Mais je ne m'imagine pas, aujourd'hui, président du conseil. Je n'ai rien entrepris pour y parvenir, quelques amis me le reprochent.

D. P. — *Il y a deux ans à peine, vous étiez un exilé qu'on recevait par amitié, par courtoisie ou par prudence intéressée (« On ne sait jamais, si le vent tournait au Portugal... »). Aujourd'hui, vous êtes connu du monde entier. Votre portrait fait la « une » de tous les magazines. Quel est l'effet d'une telle notoriété?*

M. S. — Je mentirais, bien sûr, en prétendant que tout cela me laisse indifférent. Cela me donne le sentiment que ma vie a servi à quelque chose, que j'ai joué un certain rôle, le rôle qui m'était dévolu. Mais j'ai aussi très vite découvert le revers de la médaille : j'ai perdu toute vie personnelle et j'en souffre. Mes camarades s'inquiètent parfois de me voir aller seul dans la rue, sans gardes du corps. Je reconduisais l'un d'eux, récemment, dans la voiture de ma fille. Pendant le parcours, il s'est étonné : « Vous savez, m'a-t-il dit, que vous êtes le seul dirigeant politique portugais qui se permette d'agir ainsi, de se promener seul dans une petite voiture. » Je l'ai rassuré, en lui rappelant que M. Giscard d'Estaing, tout président de la République qu'il est, s'est déjà offert le même genre de fantaisie. Un homme politique a aussi droit à une vie privée.

D. P. — *Giscard d'Estaing ? Une simple allusion ou le désir de quelques traits communs ?*
M. S. — Allons ! Ce n'est pas mon modèle. J'ai le plus grand respect pour son intelligence de « conservateur moderne » — si l'on me permet ce vilain jeu de mots — mais de là à s'en inspirer...

D. P. — *A qui aimeriez-vous ressembler ?*
M. S. — Au risque de paraître prétentieux, je dirais que je veux ressembler à moi-même.

D. P. — *Avez-vous été soldat ?*
M. S. — Non. J'ai été réformé. Je n'y tenais pas trop, pensant qu'un militant politique se devait de faire son service national. Mais mon père craignait que je fusse affecté dans un bataillon disciplinaire ; il a arrangé l'affaire et, comme mon frère était médecin militaire, ce ne fut pas très difficile. L'asthme était un bon prétexte.

D. P. — *Est-ce donc pour cette raison que vous ne comprenez pas grand-chose aux militaires ?*
M. S. — Je ne comprends rien aux militaires, c'est vrai. J'avoue que je suis toujours un peu gêné devant un officier en uniforme, car je ne sais pas distinguer les grades.

D. P. — *Vous ne les aimez pas ?*
M. S. — Je n'ai aucun *a priori* contre les militaires, mais je ne suis pas non plus à genoux devant eux. Je suis un civil, un *paisano,* comme on dit au Portugal.

D. P. — *Avez-vous déjà pensé à la mort?*

M. S. — Très peu.

D. P. — *Elle vous fait peur?*

M. S. — Pas spécialement. Plus que la mort, je crains de rester prisonnier d'une longue maladie. La mort d'un homme comme Kennedy ou Luther King est une grâce de Dieu. Mourir en pleine activité, au milieu d'un combat qui vous prend totalement, c'est vraiment une belle façon de terminer sa vie. Je n'ai jamais eu peur de périr dans un attentat : combien de gens m'ont dit, au cours de manifestations, que j'étais fou de m'exposer sans la moindre défense... La vérité est simple : quand une organisation puissante veut tuer un homme politique, elle y parvient toujours. Le mieux est de n'y pas penser et d'accepter le risque.

D. P. — *Kennedy, Luther King, illustres exemples. Mais pourquoi donc n'avez-vous pas songé à citer, avant eux, le nom de Salvador Allende? Qui, plus que lui, est mort « en pleine activité »?*

M. S. — L'idée pourrait m'être venue, en effet. Mais la fin d'Allende n'est pas seulement une tragédie personnelle, c'est la mort de tout un peuple. Comment cela pourrait-il donc passer pour une grâce? Non, c'est la fatalité, l'échec total.

D. P. — *Vous n'imaginez pas Mario Soares mourir comme Allende, mitraillette à la main?*

M. S. — Pas un instant. Je ne sais pas me servir d'une arme. Je n'ai pas fait de service militaire, je n'ai jamais tiré. Où donc aurais-je appris à manipuler ces choses-là? Ne pas avoir peur des armes est une bonne chose, mais savoir les utiliser, à quoi donc cela servirait à un homme comme moi ? Ce qu'on attend de moi, c'est d'être habile à manipuler la plume et non à presser la détente. Mon rôle est de savoir prendre des décisions et de les assumer avec courage. Je pourrais, certes, pour rendre mon image plus attrayante, me faire photographier un G-3 [1] dans la main : mais je serais totalement ridicule. Je n'ai jamais tiré et ce n'est pas à cinquante ans qu'on apprend. Mon fils me tanne parfois en me répétant : « Tu devrais au moins avoir un pistolet pour te défendre. » A quoi bon ? Il me serait inutile : c'est quelque chose de tout à fait étranger à mon esprit. Je m'étonne toujours quand je vois des amis qui, dans les périodes un peu troubles, sortent armés...

D. P. — *Auriez-vous donc une milice armée ?*
M. S. — Non.

D. P. — *Au moins quelques camarades au veston bien garni ?*
M. S. — Seulement quelques petits pistolets, avec toutes les licences en règle. Mais je les trouve bizarres. Cela ne m'est jamais venu à l'idée, à moi. Jamais.

D. P. — *Voilà un portrait à peine esquissé. L'ombre règne encore où se cache la vie privée et que protège la modestie ou la pudeur. Que manque-t-il d'important ? Un trait, un sentiment qui domine tout et justifie le reste ?*
M. S. — La tolérance. Quelqu'un disait qu'aimer, c'est tout comprendre. Rien, à mes yeux, n'est plus important que cette « empathie » des Grecs, cette capacité d'assimiler l'idée qui vous est contraire, de se mettre, en face d'elle, dans une position d'accueil, d'ouverture, de sympathie. La prison est, pour cela, la meilleure des écoles : vivre tous les jours avec des gens qui n'ont rien de commun avec

1. Fusil d'assaut utilisé par l'armée portugaise.

16

vous, tout entier animés de ce tempérament explosif des captifs difficiles, subir une promiscuité qui forge si facilement l'antipathie; mais nouer des relations, sentir venir, peu à peu, le dégel attendu; s'amorcer le dialogue, c'est là le véritable apprentissage de la tolérance. La clé d'une vie, la volonté d'accepter l'autre tel qu'il est, avec ses différences.

CHAPITRE II

Retour d'exil

Dominique POUCHIN. — *o heure 21, le 25 avril 1974. Sur les ondes de Radio-Renaissance, un chanteur engagé, José Alfonso, égrène les premières notes, lancinantes, d'une chanson proscrite qui demain sera hymne : « Grandola, vila morena... » C'est le signal qu'attendent les comploteurs. La révolution portugaise a commencé. A la même heure, Mario Soares, vous tentez de convaincre un incrédule que des bouleversements se préparent dans l'ombre et le silence.*

Mario SOARES. — J'étais à Bonn, invité par mes amis du parti social-démocrate allemand. Le dîner, offert par le ministre de la Défense, venait à peine de se terminer. Une fois de plus, je devais me résigner : on m'avait écouté avec sympathie et un peu d'intérêt, mais on ne m'avait pas cru. Et pourtant, que pouvais-je dire de plus ? Je n'avais rien oublié : la révolte des capitaines, la personnalité de Spinola, le rôle de Costa Gomes, la conspiration en cours, plus importante, plus décisive que toutes les précédentes. Tout cela pour entonner encore le même refrain : « Caetano est perdu, comprenez-le bien. Que tous les gouvernements occidentaux prennent leurs distances vis-à-vis de ce régime condamné. Qu'ils n'attendent pas et assurent dès maintenant l'avenir de la démocratie au Portugal. La révolution arrive... »

Je savais que j'avais raison. Jamais je n'avais senti la fin du fascisme si proche. Désagréable impression : je prêchais dans le désert. Mes paroles butaient sur un scepticisme amical et courtois. « Allons, m'a répondu le ministre, on vous connaît : vous avez toujours eu cette idée du coup militaire réussi dans la tête. Vous êtes un optimiste invétéré. Mais vous verrez, les militaires hésitent à faire le dernier pas. Ce n'est pas pour cette année. Il faut encore attendre. Malheureusement. »

A six heures du matin, c'est lui qui m'a réveillé. Le ton avait changé : « Vous aviez raison, me dit-il, il se passe des choses très graves à Lisbonne. Il paraît que la révolution est dans la rue. » Je devais rencontrer Willy Brandt dans la journée, mais je suis retourné précipitamment à Paris, où je disposais d'un important réseau d'informations.

D. P. — *Comment connaissiez-vous ce qui se tramait depuis quelques mois au Portugal?*

M. S. — La mutinerie de Caldas da Rainha avait donné l'alarme[1]. Mais nous avions, bien avant déjà, une vue assez exacte de la situation à l'intérieur de l'armée. Des contacts venaient de temps à autre me voir à Paris. Je suis moi-même allé en Espagne pour rencontrer, à la frontière portugaise, des camarades de Porto et de la région du Nord. L'agitation souterraine, dans la plupart des unités du pays, ne nous avait pas échappé. Nous suivions de près le mécontentement grandissant des officiers : certains

---

1. A l'aube du samedi 16 mars 1974, le 5e régiment de cavalerie, cantonné à Caldas da Rainha (80 kilomètres au nord de Lisbonne), se mutinait et marchait sur la capitale. Arrêtés aux abords de l'aéroport, les mutins devaient réintégrer leur caserne. Certains ont, à l'époque, parlé d'« opération-test » et de « répétition générale ».

venaient discrètement en discuter avec Raúl Rego, le directeur de *República*. C'était là une de nos principales sources
d'information. Un coup se préparait, ce n'était plus qu'une
question de temps.

D. P. — *N'avez-vous pas eu de contacts plus directs, au plus
haut niveau?*

M. S. — Oui, avec le général Spinola lui-même, quand
il était commandant des troupes portugaises en Guinée-
Bissau. Je lui avais envoyé mon livre, *le Portugal bâillonné*. Il
l'a lu et m'a fait savoir ce qu'il en pensait, par l'intermédiaire d'un jeune officier de ma famille qui servait sous ses
ordres. La liaison était en place. Le président Senghor a
joué aussi le rôle d'intermédiaire : il m'avait reçu plusieurs
fois, à Paris, et nous avions mis au point les conditions
d'une rencontre avec Spinola. Cela devait avoir lieu à la
frontière de la Guinée et du Sénégal. Palma Inacio, figure
légendaire de la résistance antifasciste [1], devait m'accompa-
gner. Mais le projet a été abandonné quand nous avons
appris l'assassinat d'Amilcar Cabral [2]. Nous ne savions
pas quelles étaient les responsabilités de Spinola dans
cette affaire et nous avons jugé préférable d'annuler le
« rendez-vous ». Le général a dû le regretter, car il m'a
fait parvenir un message où il se défendait d'être mêlé à
l'assassinat de Cabral : « C'est un coup monté contre moi
pour me compromettre », disait-il en substance. Mais nous
en sommes restés là.

1. Dirigeant de la Ligue d'unité et d'action révolutionnaire
(L.U.A.R.), Palma Inacio s'est rendu célèbre par les nombreux coups
de mains auxquels il a participé. Évadé trois fois des cachots de la
PIDE, il était de nouveau emprisonné quand l'ancien régime s'est
effondré.

2. Dirigeant du Parti africain pour l'indépendance de la Guinée et
des îles du Cap-vert (P.A.I.G.C.), assassiné le 20 janvier 1973.

D. P. — *Pourquoi, dès cette époque, cherchiez-vous à nouer des relations avec le général Spinola?*

M. S. — Dans les années 1972-1973, il est apparu comme le chef militaire qui pourrait prendre la tête d'un mouvement contre Caetano.

D. P. — *Ce qui ne l'empêchait pas de napalmiser la Guinée.*

M. S. — Il a fait la guerre, comme beaucoup d'autres. Les gens du P.A.I.G.C. reconnaissaient sa valeur et mesuraient bien l'obstacle qu'il constituait pour eux.

D. P. — *Et vous avez eu confiance en lui.*

M. S. — Non. J'ai gardé une position critique, je suis resté très prudent, tout en considérant que Spinola pouvait être amené à jouer un rôle de premier plan dans la transformation de mon pays. Mais je savais que derrière lui, en dehors de lui, existait un « mouvement des capitaines », dont l'éclosion était encore plus importante.

D. P. — *L'attente d'un complot militaire bien ficelé pour venir à bout d'une dictature honnie, c'est presque une tradition chez les Soares. Les tentatives n'ont pas manqué, les échecs se sont accumulés, mais l'espoir s'est toujours renouvelé.*

M. S. — Une famille de conspirateurs, en effet. Mon père et ses amis républicains ont été de presque tous les complots, acharnés à recréer des réseaux clandestins dans l'armée que l'échec suivant démantelait. J'ai aussi été un comploteur, convaincu que l'armée était déterminante pour renverser le fascisme. Les communistes étaient très hostiles à ces idées et nous accusaient, nous, socialistes et démocrates, d'être de vulgaires putschistes. Ils refusaient toute autre hypothèse qu'un soulèvement populaire. Certes, l'action des masses est essentielle dans un mouvement antifasciste, mais elle ne peut aboutir seule, sans le stimulant d'une conspiration militaire. L'histoire nous a donné raison. En quelques heures, le 25 avril 1974, l'armée a jeté bas un régime vieux d'un demi-siècle. Et, aussitôt, les masses sont descendues dans la rue. C'était l'aube d'un printemps, il fallait rentrer au pays.

D. P. — ... *Par le chemin des écoliers : plus de vingt-quatre heures de train. Curieuse idée!*

M. S. — Il n'y avait pas d'autre moyen. L'aéroport de Lisbonne était fermé. J'ai tout tenté pour trouver un avion. Sans succès. Au téléphone, dans la journée du 25, mes amis voulaient me faire patienter : « Restez à Paris, la situation n'est pas encore totalement sûre. On ignore ce qui se passe en province et aux frontières. » Mais j'avais décidé de rentrer, coûte que coûte, clandestinement s'il le fallait. Faute d'avion, j'ai pris le train le 27 avril dans la matinée, avec Ramos da Costa et Tito de Morais, deux autres dirigeants du parti, ainsi que Fernando Oneto, exilé, comme moi à Paris. Il était convenu qu'en cas de danger quelqu'un nous attendrait en gare de Salamanque, et là on aviserait. Nous avons dormi toute la nuit dans le train, persuadés que les jours suivants seraient plutôt agités.

Je me suis réveillé à Salamanque et j'ai mis le nez dehors : pas d'émissaire, mais déjà un attroupement. Des étudiants espagnols, enthousiastes et bruyants, étaient venus saluer la révolution portugaise. Tout allait bien, je me suis recouché. Des cris m'ont sorti de mon sommeil. Des cris énormes. On scandait mon nom. Je suis allé à la fenêtre : c'était déjà Vilar Formoso. Des dizaines d'amis étaient là, camarades de toujours, au milieu d'une foule de paysans venus de toute la région.

On m'a fait descendre du train pour m'emmener dans

23

une espèce de cantine, envahie de gens surexcités et de soldats. Les discours ont commencé, qui célébraient la liberté et la démocratie. Au bout d'un certain temps, un capitaine s'est approché de moi, accompagné du chef de gare. L'officier m'a salué avant de me demander, un peu gêné : « Monsieur, permettez-vous que le train reparte...? » C'est alors que j'ai réalisé que quelque chose avait changé au Portugal.

Nous sommes remontés. C'était maintenant le train de la liberté. Il s'arrêtait partout, dans chaque ville et même à Alfarelos, le village natal de Ramos da Costa, près de Coimbra. Là comme ailleurs, une foule considérable nous attendait : les radios annonçaient notre passage et invitaient la population à aller nous accueillir. Un journaliste est monté et m'a laissé un quotidien du matin : ainsi, j'ai pu lire pour la première fois le Programme du Mouvement des forces armées. Il allait au-delà de mes prévisions. Pourtant, j'ai tout de suite noté qu'il évoquait la création « d'associations civiques », mais ne disait mot de l'existence légale des partis. Voilà un point qu'il fallait marquer, sans perdre une minute. La mobilisation du peuple devait y aider.

D. P. — *Terminus, Santa Apolonia, la grande gare de Lisbonne. La place est noire de monde. Un peuple à peine remis de ses émotions : des bourgeois émus, des ouvriers endimanchés. Sur les quais bondés, flotte une unique banderole : « Unidade. » La peinture rouge dégouline encore. Trois lettres pour signer : P.C.P. C'est la première apparition publique du Parti communiste. Quelques minutes plus tard, vous apparaissez au grand balcon. A votre gauche, un homme, le visage prématurément vieilli, salue d'une main timide : sorti la veille des geôles de Caxias, après seize années de détention, Dias Lourenço — aujourd'hui directeur d'*Avante, l'hebdomadaire du P.C.P. — est venu vous accueillir* *au nom de son parti. Comment avez-vous ressenti cette présence des communistes le jour de votre retour?*

M. S. — Je n'ai plus d'images aussi précises de cette folle journée. Je ne m'attendais à rien de tout ce qui s'est passé. Ce fut comme un plongeon : une fois dans l'eau, j'étais bien obligé de nager. Cette banderole, je ne l'ai vue que le lendemain... sur des photos. Mais, en revanche, je me souviens très bien de la présence de Dias Lourenço. Je le connais depuis longtemps, depuis l'époque où, jeune communiste, il militait dans la région de Vilafranca. Trente ans déjà... On s'est embrassé et notre premier échange — quelques mots à peine — traduisait une préoccupation commune : il fallait imposer les partis. Les rapports avec les communistes étaient alors assez bons. A Paris, j'avais, à la tête d'une délégation socialiste, rencontré Alvaro Cunhal et d'autres dirigeants du P.C. Nous nous étions réunis dans un vieux local prêté par le P.S. français, près du boulevard Montmartre. Les chaises étaient plutôt branlantes : décor piteux, comparé à ceux que nous avaient offerts les communistes français pour d'autres rencontres. Antoine Blanca, membre du comité directeur du P.S., était d'ailleurs venu s'excuser du manque de confort. Peu importe, cela n'empêchait pas de discuter. Durement parfois. Nous étions tombés d'accord sur un communiqué commun qui devait être publié dans la presse clandestine le 25 avril. L'histoire l'a devancé et l'a jeté aux oubliettes.

D. P. — *Le temps d'un discours improvisé, d'une conférence de presse menée tambour battant et vous voilà dans le bureau de Spinola.*

M. S. — Alors que je répondais aux journalistes, Magalhães Godinho, un grand ami, m'a fait signe de me dépêcher et m'a glissé dans l'oreille que Spinola m'attendait. Surprise totale : pourquoi cet empressement? Dans la voiture qui m'emmenait au palais de Cova da Moura, j'ai pu parler quelques instants avec Raúl Rego : « J'ai déjà vu le général à deux reprises, me dit-il. Il veut absolument vous voir. Sachez seulement qu'il m'a proposé d'être premier ministre. » Nouvelle surprise. Rego est un homme remarquable, un grand journaliste, mais n'a jamais eu de responsabilités directement politiques et sa place dans le parti ne le prédisposait pas à cette haute fonction. Il comprit mon étonnement et m'expliqua : « Les capitaines sont convaincus qu'ils doivent beaucoup à *República,* seule voix de l'opposition démocratique au fascisme. Leur proposition est une façon de montrer que les temps ont changé. »

Quand nous sommes arrivés au palais, il y avait encore foule. Des dizaines de militaires que je voyais pour la première fois, mais aussi des visages connus militaires et civils : des socialistes, des francs-maçons, des vieux républicains, quelques communistes... Spinola est apparu. On s'est spontanément donné l'accolade et il m'a invité à entrer dans son cabinet. « Voilà, la révolution est faite. Je suis heureux de vous accueillir » : tels furent ses premiers mots. Il ne tarda pas à préciser ce qu'il attendait de moi : « La révolution a besoin d'une reconnaissance internationale. Il faut aller vite. Vous avez de nombreuses amitiés en Europe et dans le monde. Vous êtes l'homme qui nous ouvrira les portes. Je compte sur vous... »

D. P. — *Vous êtes ainsi devenu, dès le premier jour, le courtier de Spinola...*

M. S. — Je préfère dire que je suis devenu ministre des Affaires étrangères, avant même d'être investi officiellement de cette charge.

D. P. — *Au lendemain de cette entrevue, le général reçut un homme auquel il espérait confier d'importantes responsabilités.*

Ils ébauchèrent ensemble la composition du futur gouvernement.
A votre endroit, Spinola eut cette simple remarque : « Ce n'est pas
un génie, mais il joue bien son rôle. Il ferait un ministre conve-
nable... »

M. S. — Il avait tout à fait raison. Je n'ai jamais eu la
prétention d'être un génie. Mais nul autre que moi n'était
alors en mesure de gagner la sympathie de l'Europe et du
monde à une révolution si soudaine, qui inquiétait l'étranger. Nous n'avons que fort peu parlé du futur gouvernement. Je voulais, en effet, que Spinola comprenne clairement qu'il avait devant lui un « homme de parti », lié aux
débats et aux décisions de son parti. Il ne devait subsister
aucune ambiguïté.

D. P. — *Était-il favorable à la présence des communistes dans*
le gouvernement?

M. S. — Non. Il était plus que réservé. Il envisagea seulement, comme hypothèse limite, de confier le ministère du
Travail à un communiste. Mais il craignait leur force et
appréhendait d'éventuels débordements, à l'occasion du
1ᵉʳ mai. Nous l'avons rassuré : si débordements il devait
y avoir, ils ne sauraient être que de joie. L'entretien s'est
terminé par un bref échange de vue sur la décolonisation.
Là, apparurent les premières divergences : Spinola tenait
à distinguer autodétermination et indépendance, croyant
ainsi freiner le cours de l'histoire. Il n'y avait, selon nous,
d'autre issue que l'indépendance, conclusion victorieuse
des luttes de libération nationale et point d'orgue à une
guerre coloniale injuste et coûteuse. Mais j'ai convaincu
mes camarades de ne pas provoquer d'affrontement
immédiat sur ce désaccord : l'essentiel était de négocier
la paix avec les mouvements nationalistes, la dynamique
emporterait alors des demi-mesures préconisées par
Spinola.

D. P. — *N'accordiez-vous pas aussi une confiance excessive au général? Au matin du 1ᵉʳ mai 1974, je vous ai demandé si vous étiez sûr de ses intentions; vous m'avez répondu :* « *J'avais quelques préventions contre lui, je ne les ai plus : j'ai rencontré un homme ouvert, qui aspire à un destin national. Ses idées sur la décolonisation ont été formulées sous le fascisme, en un temps où il convenait d'être prudent, mais nous saurons le convaincre qu'il faut aller plus loin.* » *Où est donc aujourd'hui* « *l'homme ouvert* » *que vous avez rencontré? De quoi l'avez-vous convaincu? Votre optimisme d'alors a été mis à rude épreuve.*

M. S. — Mais vous ne pouvez oublier que mes propos allaient être publiés et lus partout, que Spinola, lui-même, en aurait connaissance. Pourquoi donner, dès ce moment, du relief à une opposition à peine formulée? Cela aurait été une erreur. L'important était d'avancer, puis de convaincre celui que la révolution avait projeté au-devant de la scène. Ou de le vaincre. J'ai en effet pensé qu'il pouvait assumer un destin national et devenir, à sa manière, une sorte de de Gaulle portugais. Dans la mesure où j'ai pu exercer sur lui une petite influence, je l'ai poussé dans cette voie : arbitrer au-dessus des partis, être l'homme de la décolonisation. On ne peut oublier son important discours du 27 juillet 1974 dans lequel il admit la nécessité de l'indépendance.

D. P. — *Mais vous connaissiez bien sa biographie officielle :* « *Le général Spinola a participé à la guerre civile espagnole de 1936 à 1939, puis il a assisté, intégré dans les forces nazies, au siège de Stalingrad...* »

M. S. — Les communistes ont, face à ce genre d'obstacles, une réplique toujours prête : on ne peut lier indéfiniment un homme à ses erreurs passées. Ainsi expliquent-ils les ralliements les plus inattendus. Mais c'est une phrase pleine de bon sens. Nous savions ce qu'était Spinola, ce qu'il représentait. Son monocle, ses allures hautaines, sa prestance aristocratique : c'était difficile à avaler pour tout le monde. Il fallait cependant aider Spinola : il incarnait une étape nécessaire, une transition entre le fascisme et un État démocratique. Ses manœuvres ultérieures étaient peut-être prévisibles, mais les forces démocratiques n'avaient d'autre choix que de le soutenir, en le poussant dans la voie de la décolonisation, de la démocratie et du socialisme.

D. P. — *Le 2 mai 1974, j'ai posé à Alvaro Cunhal cette même question sur le « degré de confiance » qu'il jugeait bon d'accorder au « nouveau maître » du Portugal. Il m'a répondu, froidement : « Je vous demande de considérer que vous ne m'avez pas posé cette question. » Habile pirouette, prudence avisée, son silence contraste avec votre optimisme calculé.*

M. S. — L'attitude est, il est vrai, fort différente. Elle traduit peut-être déjà l'écart qui sépare nos politiques respectives.

D. P. — *Croyez-vous qu'il ait eu tort de me répondre comme il l'a fait?*

M. S. — Sûrement. Je vous assure que les rapports entre Cunhal et Spinola pendant cette période furent cordiaux. Je les ai vus souvent discuter aux réunions du Conseil des ministres et, visiblement, le secrétaire général du parti communiste répugnait à s'opposer au président de la République. J'ai moi-même affronté Spinola sur le problème de la Guinée et Cunhal n'a pas bronché. Il avait alors, pour des raisons politiques sans doute, décidé de se taire.

D. P. — *Onze années de forteresse, une évasion spectaculaire, quatorze ans d'exil, Alvaro Cunhal a déjà une véritable légende derrière lui quand il rentre à son tour au pays. C'était le 30 avril 1974 et son avion venait de Prague.*

M. S. — Je suis allé l'accueillir à l'aéroport. Il m'a impressionné : il était rigide, froid, méfiant peut-être. Son retour, pourtant, prouvait bien que la situation avait évolué très vite : les militants du P.C.P. arboraient leur drapeau, ils avaient désormais pignon sur rue. Le communiste n'était plus l'ennemi à abattre. Mais Cunhal semblait vouloir donner, sans attendre davantage, une impression de force. Ses premiers contacts avec la presse ont été plutôt rudes; puis, à l'extérieur, il s'est hissé sur un char de combat, pour saluer la foule de ses partisans.

D. P. — *Image saisissante. Seriez-vous tenté d'y voir, deux ans plus tard, une sorte de présage?*

M. S. — Je crois qu'il a eu tort de se présenter ainsi. A-t-il voulu, d'emblée, célébrer l'unité du « peuple » et de l'armée? Il a plutôt glacé les Portugais. Il l'a sans doute senti car, les jours suivants, il s'est efforcé de rassurer, en se donnant un air bon enfant. Mais, chez lui, cela ne paraît pas très naturel. Cunhal a l'intelligence froide.

Je le connais depuis 1940 : on a souvent raconté que j'avais été son élève. C'est une façon d'arranger l'histoire pour ménager ensuite de surprenants paradoxes. La vérité fait moins roman-feuilleton : sortant de son premier séjour en prison, Cunhal se trouvait au chômage. Il était licencié en droit mais ne pouvait obtenir de stage d'avocat. Mon père lui a offert un poste de répétiteur dans son collège. Il y est resté un an et demi et m'a quelquefois aidé, notamment en géographie. Il me témoignait beaucoup de sympathie et exerçait sur moi une certaine influence : il m'emmenait écouter des conférences et visiter des expositions, me présentait des intellectuels progressistes. Puis il nous a quittés. Passé à la clandestinité, il a entrepris de reconstruire son parti, qui traversait alors une crise difficile. Il m'a écrit deux lettres, que j'ai conservées, des lettres d'encouragement pour me conduire vers le combat politique.

C'était un communiste mystique : il jouissait d'un réel prestige auprès des étudiants qui admiraient sa force, son idéal et voyaient en lui un grand intellectuel. Il écrivait alors dans un journal de gauche, *Le Diable,* et l'un de ses articles avait soulevé quelques passions. Le titre était très explicite : « Ni Siegfried, ni Maginot. » L'Europe vivait la drôle de guerre. Au Portugal comme ailleurs, les communistes devaient justifier le pacte germano-soviétique : Cunhal prêchait donc le neutralisme. J'avais quinze ans et je me souviens des réactions violentes que cet article a suscitées chez moi.

J'ai retrouvé Cunhal quand j'ai adhéré aux Jeunesses communistes. On m'a très rapidement confié des responsabilités dans le mouvement étudiant et j'ai participé à des réunions importantes, où celui qui apparaissait déjà comme le principal dirigeant du parti intervenait. Il nourrissait beaucoup d'espoir à mon égard et j'éprouvais une grande admiration pour son intelligence et son courage. Ce n'était pas l'homme étroit, figé que l'on connaît aujourd'hui.

D. P. — *Une incarnation de la guerre froide?*
M. S. — Un communiste des années trente. Un homme dépassé. Cunhal, c'est Prague. C'est d'ailleurs à Prague, en 1964, que je l'ai de nouveau rencontré. J'appartenais alors à la Résistance républicaine et socialiste; lui était devenu secrétaire général du parti communiste. Il m'est apparu, ce jour-là, comme un homme intérieurement « cassé ». Il gardait ce pouvoir de fascination, sensible à tous ceux qui l'ont approché, mais il était devenu distant, sans passion... Son regard, autrefois si troublant, ne brillait

plus du même éclat. Voilé, il semblait trahir une lassitude. Cunhal n'a plus changé : il reste un bourreau de travail, obstiné et totalement dévoué à sa cause, mais son raisonnement froid, logique, impitoyable, exclut toute sensibilité, toute appréhension intuitive de la réalité. Cela l'empêche de sentir les ressorts profonds qui font bouger le peuple portugais. Mais nul ne saurait contester son courage et son audace, sa ténacité, son passé de grand résistant.

D. P. — *Intelligent, courageux... C'est pourtant le même homme que vous traiterez, un an plus tard, de « paranoïaque », devant des dizaines de milliers de socialistes rassemblés à Lisbonne. N'est-ce pas contradictoire ?*

M. S. — Je ne m'en prenais pas à lui, mais à sa politique. Mais il est vrai que la coupure entre l'intelligence et la sensibilité est le trait caractéristique de la paranoïa. Pour moi, Cunhal ne comprend pas le peuple portugais : il veut lui imposer des schémas qui heurtent sa psychologie, sa manière d'être. Par sa faute, le P.C. a ainsi directement provoqué le phénomène de rejet qui se manifeste contre lui.

D. P. — *Cette rudesse que vous reprochez aux communistes n'est-elle pas aussi le fruit amer d'une trop longue clandestinité, la séquelle d'une répression dont ils furent souvent les premières victimes ? N'y a-t-il pas chez vous, chez vos amis, une sorte de complexe vis-à-vis du « privilège » dont jouirent alors les communistes ?*

M. S. — Le P.C. était, incontestablement, le parti le mieux adapté à la résistance clandestine. Il a subi une répression féroce, mais la répression du régime fasciste a toujours été sélective : une sélection de classe. Un intellectuel issu de la bourgeoisie, même communiste, était mieux traité qu'un ouvrier ou un paysan militant pour la même cause. Là s'établit la véritable distinction et non, comme vous le laissez entendre, entre communistes et socialistes. Car nous aussi avons été des résistants. Nombre de nos dirigeants actuels ont connu les geôles et la torture. J'ai personnellement été emprisonné douze fois, puis déporté et enfin exilé. J'ai croupi dans les *curros,* ces cellules minuscules et infectes ; j'ai subi la torture du sommeil. La police ne m'a pas épargné. Mais, croyez-le, il n'y a rien de plus exaltant que d'être parvenu à résister à une machine faite pour vous broyer. Certains ont succombé : jamais je n'oserai les injurier, car je sais que c'est difficile, terriblement difficile. Non, les socialistes n'ont aucun complexe. Ils furent d'authentiques résistants. Après tout, nombre d'entre eux ont vécu l'expérience du parti communiste, ont exprimé des désaccords et l'ont finalement quitté...

D. P. — *Il ne s'agit pas, ici, de le nier, mais seulement d'essayer de comprendre certaines « différences de traitement ». En 1970, vous avez dénoncé, lors d'un séjour prolongé à l'étranger, les violations des droits de l'Homme au Portugal et la politique coloniale du gouvernement de Marcelo Caetano. Inculpé de « trahison à la patrie », après une violente campagne de presse, vous risquiez huit à douze ans de prison. Vous êtes pourtant rentré au Portugal pour l'inhumation de votre père. La police vous a alors convoqué et vous a donné le choix entre l'arrestation et l'abandon du territoire national dans les huit heures. Vous avez pris le chemin de l'exil. Croyez-vous que l'on aurait offert la même alternative à Alvaro Cunhal?*

M. S. — Peut-être pas. Je dois cette « faveur » à ma réputation de socialiste et à mes grandes amitiés dans le monde européen. Caetano voulait jouer au libéral, faire un peu oublier la répression systématique de Salazar. Il devait donc éviter de heurter des hommes comme Willy Brandt ou Harold Wilson. Il avait besoin d'eux. Voilà pourquoi on m'a laissé partir : ce n'est pas pour me faire plaisir.

La mort d'un empire

Dominique POUCHIN. — *Démocratiser, développer, décoloniser : c'était, résumé en trois verbes, le programme, aussi vague que généreux, du Mouvement des forces armées. Le troisième chapitre, « la décolonisation », a accaparé la plus grande partie de votre temps dans les premiers mois de la révolution. Pour mener à bien une politique hardie, dans un domaine où le temps valait de l'or... et de nombreuses vies humaines, il fallait surmonter quelques sérieux obstacles. Le premier, mais non le moindre, ne fut-il pas Spinola?*

Mario SOARES. — C'est en effet sur ce terrain que le général a commencé à révéler certains traits de sa personnalité et surtout quelques-uns de ses défauts : il avait une conception et une pratique autoritaires du pouvoir, intervenait sans cesse dans les affaires, n'hésitait pas à court-circuiter l'action de ses ministres. J'en ai moi-même subi les conséquences quand, par exemple, il a manigancé une négociation directe avec le président Mobutu, sans rien me dire, me tenant ainsi à l'écart d'une initiative qui me concernait au premier chef.

Il avait aussi le grand tort de croire qu'on gouverne un pays — qui plus est un pays en révolution — comme on administre une province coloniale. Il était président de la

République portugaise, mais agissait encore comme s'il était resté gouverneur de Guinée-Bissau! Il ne connaissait vraiment ni les hommes, ni les forces politiques en présence, minimisait les obstacles et valorisait toujours sa propre action. Un jour, il me dit sur un ton très sérieux : « Je vais prendre une initiative en Guinée qui va nous aider à régler les problèmes. Je vais envoyer des milliers de portraits de moi en président... » Il l'a fait. Mais les portraits sont restés dans les caisses : le général Fabião, qui gouvernait alors la colonie, n'a pas cru bon de les distribuer.

Indiscutablement, son attitude n'a rien arrangé. Au contraire : son intransigeance, son refus d'évaluer correctement la situation, nous ont empêchés de signer à Londres un accord avec les Guinéens, bien plus favorable que celui auquel nous sommes en fin de compte parvenus, trois mois plus tard, à Alger.

J'avais pourtant, pour sortir le Portugal du guêpier africain, les meilleurs atouts en main. Exilé, j'avais établi certains contacts avec des dirigeants nationalistes qui devaient s'avérer fort utiles. En Hollande, j'avais participé à des conférences organisées par le « Comité Angola » qui soutenait surtout le M.P.L.A.[1] et, quinze jours avant le 25 avril, j'ai été invité par des Pères blancs, à Bruxelles, pour un colloque sur les luttes de libération nationale. Tous ces gens avaient noué d'étroits rapports avec les mouvements africains et m'en firent profiter. Ainsi, dès le 2 mai 1974, j'ai pu rencontrer secrètement, à Bruxelles, Agostinho Neto, le président du M.P.L.A. Le père Houtard, un homme important dans l'Église, professeur à l'université de Louvain et membre de la commission « Justice et paix », a servi d'intermédiaire.

1. Mouvement populaire de libération de l'Angola.

D. P. — *Connaissiez-vous Neto ? Comment s'est déroulée l'entrevue ?*

M. S. — Je ne le connaissais pas personnellement et pourtant nous avions été, une fois au moins, très près l'un de l'autre. C'était en 1961, à la prison d'Aljube : un gardien, acquis aux idées démocratiques, m'a informé qu'à mes côtés, dans les cachots voisins, étaient détenus Neto et le père Joaquim Pinto de Andrade, autre leader du M.P.L.A. Il était même prêt à nous mettre en rapport, un jour qu'il surveillerait ce quartier de la prison. Cela ne s'est pas réalisé, mais nous ne nous étions sans doute jamais sentis aussi proches, aussi solidaires. Notre rencontre, treize ans plus tard, n'a guère été difficile. Neto m'a assailli de questions : qui était Spinola ? Quel était le sens profond du M.F.A. ? De quel poids pesions-nous ? Il était à court d'informations sur le Portugal : je lui ai donc brossé un tableau assez complet de la situation et il m'a « rendu la pareille », en me laissant présager des obstacles que nous aurions à affronter en Angola. Nous avons convenu de nous revoir; devenu ministre des Affaires étrangères, j'ai préféré m'atteler au plus facile, pour enclencher la dynamique et attaquer la question angolaise dans les meilleures conditions.

D. P. — *Les œillets rouges de Lisbonne fêtant sa libération n'ont pas suffi à convaincre, du jour au lendemain, les combattants des brousses et des savanes qu'ils pouvaient croire aux bonnes intentions affichées par le nouveau régime portugais. Ils avaient, il est vrai, quelques solides raisons de se méfier : ces officiers libérateurs n'avaient-ils pas, pendant quatorze ans, traqué le rebelle, le « terroriste » ? Ce général-président, épris de libéralisme, n'avait-il pas, en Guinée, pourchassé les maquis ? Ses généreuses idées sur une « communauté luso-africaine » fleuraient le néo-colonialisme... Pourtant, si l'on excepte l'Angola, le processus de décolonisation*

*n'a guère été entravé. Une confiance réciproque est-elle soudaine-
ment née ?*

M. S. — Il a d'abord fallu surmonter les obstacles que
Spinola semait sur la route d'une authentique décolonisation. On ne parlait, aux lendemains du 25 avril, que
d' « autodétermination » : le programme du M.F.A., bible
officielle de l'époque, ne faisait pas référence à la juste et
inéluctable « indépendance » de nos possessions Outre-
mer.

De leur côté, les mouvements africains rejetaient l'idée
d'un cessez-le-feu, sans règlement politique préalable.
Leur exigence était fort compréhensible : ils ne voulaient
pas prendre le risque de désarmer, de démobiliser leurs
troupes avant d'avoir obtenu de sérieuses garanties. J'étais,
pour ma part, convaincu qu'un cessez-le-feu dûment respecté, créerait, à lui seul, les conditions d'une paix durable,
indispensable pour négocier l'accession à l'indépendance,
que certains responsables portugais le veuillent ou non.
Les événements m'ont donné raison. L'arrêt des hostilités
ne fut pas officiellement proclamé, mais les combats
devinrent sporadiques, puis cessèrent. En Guinée, les
pourparlers entre militaires portugais et représentants du
P.A.I.G.C. ont pu s'engager dès que fut connue ma rencontre avec Aristides Pereira[1], organisée à Dakar par les
bons soins du président Senghor. En fait de pourparlers,
ce furent souvent des embrassades, une véritable fraternisation entre soldats et maquisards, qui s'invitaient mutuel-
lement pour d'interminables banquets. On laissait les
armes au vestiaire et on s'installait autour d'une même
table... pour dîner.

Une telle dynamique entérinait l'échec de la politique
de Spinola : quand, par la suite, il a voulu durcir le ton de

---

1. Successeur d'Amilcar Cabral à la tête du P.A.I.G.C.

la négociation, il s'est trouvé sans le moindre support militaire.

Cette fraternisation, presque spontanée, est inscrite dans le caractère portugais, comme l'a si bien montré l'historien brésilien Buarco de Holanda : pour lui, le Portugais est avant tout un homme cordial, qui sait jeter les ponts, établir le dialogue, oublier rapidement les querelles du passé. Qui ne s'étonnerait, en effet, de cette extraordinaire communion après quatorze années de guerre? Mais cela ne suffit sans doute pas à expliquer la confiance que les guérilleros ont manifesté pour notre révolution. Il est une raison, plus politique, qui s'est révélée déterminante : le nouveau régime installé à Lisbonne était cautionné, soutenu, par des partis démocratiques, notamment le P.S. et le P.C., qui avaient depuis longtemps partagé le combat des dirigeants nationalistes. La plupart de ces leaders — Amilcar Cabral, son frère Luis Cabral et Aristides Pereira pour la Guinée; Marcelino dos Santos, Oscar Monteiro pour le Mozambique; Agostinho Neto, Mario et Joaquim Pinto de Andrade pour l'Angola... et tant d'autres — ont été des combattants de l'opposition portugaise contre le fascisme, avant même de se battre pour l'indépendance de leur patrie.

De cette lutte commune datent d'intimes relations, une confiance réciproque, qui ont facilité bien des choses. Beaucoup d'entre nous ont, par la suite, manifesté concrètement leur solidarité avec la cause des révolutionnaires africains : Jorge Campinos, par exemple, qui fut mon « second » aux Affaires étrangères, avait refusé de servir dans l'armée coloniale, comme beaucoup d'autres. Spinola a voulu s'opposer à sa nomination comme secrétaire d'État, parce que, disait-il, « un déserteur n'a pas sa place au gouvernement ». Campinos est né en Angola. Il a appartenu à la « Maison des étudiants de l'Empire », organisation fasciste créée pour entretenir la mystique du « Portugal pluri-continental », mais qui fut en réalité une véritable pépinière de dirigeants nationalistes. Campinos a milité à leurs côtés, puis a préféré s'exiler plutôt que prendre les armes contre eux. Il est rentré avec moi, dans l'avion que m'avait prêté Spinola pour mon premier voyage en Europe. A l'arrivée, les autorités portugaises ont visé le faux passeport qu'il utilisait au temps de la clandestinité... Un « déserteur » aux Affaires étrangères : les mouvements de libération ont eu ainsi une nouvelle preuve de l'importance des bouleversements en cours à Lisbonne. Il ne s'agissait plus, comme ils avaient pu le craindre, d'un ravalement de façade pour continuer la même politique par d'autres moyens, mais bel et bien d'une révolution, qui rejetait l'essence même du colonialisme. La confiance était établie, nous pouvions progresser.

L'atmosphère des négociations aurait sûrement étonné un observateur neutre et non averti. A Londres, où nous rencontrions le P.A.I.G.C., l'ambassadeur d'Algérie, un bon ami, m'a demandé, à la fin de la première réunion, comment le contact s'était établi. Ma réponse l'a beaucoup surpris : « Tout s'est déroulé le plus naturellement du monde, lui ai-je raconté, nous nous sommes embrassés et nous nous sommes assis autour d'une table, comme le feraient des camarades qui doivent régler quelques problèmes communs. » Il m'a regardé, un peu interloqué, et m'a expliqué son étonnement : « C'est assez extraordinaire. Vous savez qu'à Évian, Français et Algériens ne se sont vraiment serré la main qu'après la signature de l'accord... »

Je me souviens aussi de la cérémonie organisée à Lusaka par le président Kenneth Kaunda, à l'occasion de notre première rencontre avec le FRELIMO[1]. Curieux proto-

---

1. Front de libération du Mozambique.

cole à l'anglaise : le chef de l'État zambien avait voulu recevoir, en même temps, les deux délégations dans une immense salle coupée en deux par une longue table. Le président était debout à une extrémité, derrière lui avaient pris place tous les hauts dignitaires du pays et une bonne partie du corps diplomatique. A l'autre bout, on avait massé les journalistes. On fit entrer les deux délégations par des portes latérales, le FRELIMO à droite, les Portugais à gauche. Tout cela avec beaucoup de solennité. Mais, quand j'ai aperçu Samora Machel, le dirigeant du FRELIMO, j'ai rapidement contourné la table pour lui donner l'accolade. Otelo de Carvalho, qui m'accompagnait, a fait de même. Il est né au Mozambique et avait connu au lycée quelques membres de la délégation du FRELIMO.

En fait, Otelo était là sur ordre de Spinola... pour m'espionner et me freiner. Il dira, quelques mois plus tard, dans une interview, qu'il était prêt à faire beaucoup plus de concessions que moi.

D. P. — *Quelles concessions refusiez-vous donc? La politique d'un socialiste, dans ce domaine, n'est-elle pas d'effacer toute trace de colonialisme?*

M. S. — Mais les combats continuaient au Mozambique. Le FRELIMO contrôlait effectivement le nord du pays mais était presque inexistant, sauf quelques infiltrations, au sud du Zambèze. Il existait aussi d'autres mouvements, souvent créés et artificiellement gonflés par des colons portugais, pour s'opposer à l'influence croissante du FRELIMO. Notre devoir était de négocier dans les meilleures conditions, pour maintenir et défendre les intérêts portugais. Nous étions des anticolonialistes convaincus, mais la décolonisation devait répondre tout autant aux intérêts portugais qu'africains.

41

D. P. — *A l'inverse, des adversaires de droite pourront vous accuser d'avoir, en toute cordialité, bonne humeur et fraternisation révolutionnaire, vendu le Mozambique et la Guinée à des partis uniques, d'avoir installé en Afrique deux nouvelles « démocraties populaires ».*

M. S. — On a dit, en effet, que j'avais vendu les colonies; on l'a écrit sur les murs de Lisbonne. Certains ont même affirmé que j'avais, grâce à cela, amassé un magot dans une banque suisse. Balivernes. Le tout est de savoir si nous avions d'autres issues. Il y avait une donnée intangible : l'armée portugaise était vaincue sur le terrain et totalement démoralisée. Fallait-il, comme le préconisait Spinola, adopter un procédé soi-disant démocratique : « un homme — une voix »? C'était ignorer, mépriser la réalité africaine; c'était provoquer, au Mozambique, une guerre civile désastreuse, en montant, de toutes pièces, des formations politiques pour affronter le FRELIMO, seul mouvement représentatif; c'était, inéluctablement, enfoncer de nouveau l'armée portugaise dans la guerre et préparer une défaite plus cuisante encore. Non, il n'y avait d'autre choix que de négocier dans les meilleures conditions possibles avec le FRELIMO et, pour cela, de faire intervenir le jeu complexe des rapports internationaux.

D. P. — *Belle manière, pour un « grand démocrate », de ranger ses principes dans le tiroir, rétorqueront vos détracteurs : on s'érige chez soi en défenseur des libertés, et on précipite ses anciens territoires dans l'orbite du bloc soviétique...*

M. S. — C'est faux. Le Mozambique est autant influencé par la Chine populaire que par l'U.R.S.S. Les deux géants du communisme s'y livrent une lutte sévère, qui donne parfois lieu à quelques cocasseries : ainsi, quand Samora Machel est rentré à Lourenço Marques, il était attendu à l'aéroport par les ambassadeurs, et les diplomates chinois et soviétiques ont rivalisé d'ardeur pour être les premiers à serrer la main au nouveau président!

L'accusation n'est pas plus fondée en ce qui concerne la Guinée. Certes, le P.A.I.G.C. a été systématiquement soutenu par les Russes, mais il semble avoir sauvegardé son autonomie. Le président Senghor lui-même qui, à une époque, favorisait l'éclosion d'un mouvement concurrent, m'a fait les plus grands éloges sur la maturité et l'indépendance d'esprit des dirigeants du P.A.I.G.C. Le sort des îles du Cap-Vert préoccupait les Américains et les Brésiliens, inquiets pour la défense de l'Atlantique-Sud : elles sont aujourd'hui rattachées à la Guinée-Bissau et tout le monde, apparemment, s'en accommode. La diplomatie des dirigeants guinéens est intelligente : ils sont africains et savent qu'ils ont besoin de relations internationales diversifiées.

Il faut être de mauvaise foi pour nous accuser d'avoir jeté nos colonies dans les bras de l'Union soviétique. Mais il est vrai que nous avons contribué à la création de régimes de parti unique. Y a-t-il d'autres systèmes en Afrique? Pourquoi devrions-nous imposer nos conceptions politiques? N'est-ce pas là, précisément, une forme de ce néo-colonialisme tant décrié? Nous avons, bien sûr, quelques idées sur l'intérêt des peuples, et je suis de ceux qui croient aux vertus universelles de la démocratie. L'Afrique les connaîtra un jour, mais nous ne pouvions les exporter. La voie que nous avons empruntée était la seule réaliste. Pendant toute cette période, la décolonisation a été rapide et pacifique. On ne peut ignorer que nous abordions la décolonisation dans les pires conditions, après quatorze années d'une guerre qui était militairement perdue puisque nos troupes se refusaient à combattre plus longtemps. Nous n'avions guère de marge de manœuvres pour négocier. Des décennies de politique coloniale fasciste avaient laissé les populations dans l'incapacité de s'adapter à une nouvelle situation et le climat était à ce point détérioré que nous n'avions d'autre alternative. Malgré tout, dans ses grandes lignes, la décolonisation est un incontestable succès...

D. P. — *...qui s'est enlisé dans le bourbier angolais.*

M. S. — Je reconnais que l'Angola était un problème beaucoup plus complexe et que nos démarches successives ont manqué de cohérence. J'ai toujours estimé qu'on devait reléguer la décolonisation de l'Angola au terme du processus. Les difficultés étaient considérables : il fallait d'abord tenir compte des intérêts portugais — plus importants que partout ailleurs — mais aussi, et surtout, de la division des mouvements de libération. A travers eux, les grandes puissances s'affrontent. Le seul espoir était de parvenir à un accord conjoint avec les trois organisations. On ne pouvait arrêter la guerre autrement. J'avais de très anciens rapports avec le M.P.L.A., mais j'éprouvais une assez grande prévention contre l'UNITA de Jonas Savimbi[1], dont les origines sont assez troubles. Enfin, je n'avais pas encore le moindre contact avec le F.N.L.A. de Holden Roberto[2]. Des rapports ont été établis, à Tunis d'abord, puis à Kinshasa, et nous sommes parvenus, après maints efforts, à amener au Portugal les dirigeants des trois mouvements pour signer avec eux les accords d'Alvor[3].

1. Union nationale pour l'indépendance totale de l'Angola.
2. Front national de libération de l'Angola.
3. Le Portugal et les trois mouvements nationalistes angolais ont signé le 15 janvier 1975 à Alvor, dans la province méridionale de l'Algarve, un accord qui fixait au 11 novembre de la même année la date de l'indépendance et mettait en place un gouvernement provisoire tripartite.

D. P. — *Le ministre des Affaires étrangères Mario Soares, favorable au neutralisme, n'a-t-il pas oublié ce que disait et faisait le socialiste exilé Mario Soares, partisan du progressisme angolais, favorable au M.P.L.A. ?*

M. S. — Mais le M.P.L.A., lui-même, était rongé par les divisions. Une lutte de tendances très vive l'avait paralysé pendant des mois. Si nous voulions vraiment arrêter la guerre, il était indispensable de négocier avec tout le monde. C'est une question pragmatique, qui n'a rien à voir avec nos sympathies. Nous n'avons pas oublié nos amis, mais il fallait asseoir l'ensemble des parties concernées autour d'une même table : nous l'avons fait, et rendu ainsi un grand service au peuple angolais.

D. P. — *Il est permis d'en douter, quand on connaît la suite.*

M. S. — C'est une critique facile. A l'époque, notre démarche a reçu l'appui de tous les grands leaders de l'Afrique : Kaunda, Nyeréré, Boumedienne, et bien d'autres y compris Siad Barre, président somalien, alors à la tête de l'Organisation de l'unité africaine (O.U.A.). Tous voulaient à tout prix empêcher la congolisation de l'Angola, ce qui ne pouvait manquer de survenir si nous, Portugais, avions pris parti pour l'un ou l'autre des mouvements nationalistes.

D. P. — *Refuser de choisir et d'agir, n'était-ce pas aussi, d'une certaine façon, consacrer une bonne vieille recette, connue de toutes les puissances coloniales : diviser pour régner. N'avez-vous pas utilisé les oppositions existantes pour mieux défendre les intérêts portugais — ou, plus généralement, occidentaux — et perpétuer ainsi un système de domination, en supprimant seulement les aspects les plus oppressifs du colonialisme ?*

M. S. — C'est une hypothèse qui mérite discussion. Mais, dans le cas précis, elle n'a pas la moindre réalité.

Nous avons, bien sûr, tenu à défendre les intérêts portugais : la langue, la culture... Préserver les possibilités d'une
coopération étroite, dans le respect de la personnalité de
chacun, entre le Portugal et l'Angola de l'avenir. Tout cela
est éminemment respectable. Mais on ne peut nous reprocher aucune intention néo-colonialiste : nous avons cherché à maintenir des liens économiques pour aider le nouvel État à développer ses richesses, dans l'intérêt des deux
parties.

D. P. — *Certains, à Lisbonne — et notamment M. Sá Carneiro,
dirigeant du P.P.D. — ont assuré que l'attitude des communistes
portugais visait essentiellement à imposer une reconnaissance
unilatérale du M.P.L.A.*

M. S. — Je connais cette thèse, mais elle paraît très
contestable : certes, les communistes ont lutté pour la
reconnaissance du M.P.L.A., mais il est aussi vrai que de
nombreux pays appuient résolument, depuis des années,
l'action du M.P.L.A. et font preuve, par ailleurs, d'une
politique très indépendante vis-à-vis de l'Union soviétique.
C'est le cas de l'Algérie ou de la Yougoslavie. Le M.P.L.A.
n'a pas toujours été une organisation aussi « alignée »
qu'on le dit. L'argumentation de Sá Carneiro me semble
un peu sommaire, faite *a posteriori,* à la lumière des événements qui ont suivi.

Il est toujours facile de critiquer quand les choses
tournent mal. Il l'est beaucoup moins de proposer une
politique alternative au moment propice. Nul ne l'a d'ailleurs fait, sauf Spinola, avec les conséquences que l'on
sait : un soutien unilatéral au F.N.L.A. aurait-il eu plus de
succès ? Franchement, je ne crois pas.

D. P. — *11 novembre 1975 : l'Angola devient indépendante.
Le dernier soldat portugais quitte le sol de l'ancienne colonie et*

*laisse derrière lui une guerre civile. Lourde responsabilité pour
la révolution portugaise...*

M. S. — Nous ne sommes pas seuls responsables de
l'échec. Nous étions parvenus à réunir les trois mouvements nationalistes concurrents : malheureusement, la
« trêve » n'a pas duré. Nous avons commis des fautes,
c'est certain : nos représentants successifs à Luanda ont
mené des politiques sensiblement divergentes. L'amiral
Rosa Coutinho * a favorisé le M.P.L.A. et lui a redonné
une force militaire qu'il avait perdue. Ses successeurs ont
voulu imposer une attitude plus neutre. Les oscillations,
qui résultaient aussi des crises internes portugaises, ont
rendu notre arbitrage plus difficile, moins crédible.

A mesure qu'approchait le 11 novembre, les pressions
se sont faites plus fortes, à Lisbonne, pour dénoncer les
accords d'Alvor et reconnaître le M.P.L.A. comme seul
garant de la souveraineté angolaise. Malgré les liens
anciens qui l'unissaient au mouvement de Neto, le parti
socialiste a estimé que l'honneur du Portugal était en jeu
et qu'on ne pouvait, sans se déconsidérer aux yeux du
monde entier, déchirer des accords que l'on avait signés.

D. P. — *Ne croyez-vous pas que votre révolution se déshonore
davantage en laissant derrière elle une guerre civile?*

M. S. — La reconnaissance unilatérale du M.P.L.A.
contre les autres mouvements n'évitait en rien la guerre
civile et nous en aurions été, alors, les premiers responsables. Nous n'avions d'autres choix que de rester fidèles

* L'amiral Rosa Coutinho, membre de la Junte de Salut National,
au lendemain du 25 avril 1974, a représenté le Portugal en Angola
jusqu'à la signature des accords d'Alvor. Jugé trop favorable au
M.P.L.A., il a été remplacé le 28 janvier 1975 par le général Silva Cardoso. Revenu à Lisbonne, l'amiral s'est fait l'avocat du regroupement
de toutes les forces de gauche et d'extrême-gauche dans un « M.F.A.
civil ».

à nos engagements. Si l'entente s'avérait impossible, le peuple angolais — et lui seul — pouvait résoudre ses problèmes. Toute autre attitude, de la part du Portugal, aurait été justement condamnée comme néo-colonialiste.

D. P. — *Vous saviez pourtant, avant le 11 novembre, que l'Afrique du Sud et le Zaïre étaient intervenus militairement aux côtés des adversaires d'Agostinho Neto. L'armée portugaise était encore, à cette époque, garante de la souveraineté territoriale de l'Angola.*

M. S. — Mais le M.P.L.A. aussi recevait une aide considérable de l'étranger : quelques milliers de Cubains encadraient déjà ses troupes et l'Union soviétique avait organisé un pont aérien pour sauver Luanda d'un encerclement fatal. L'internationalisation du conflit était une donnée de fait. Si le Portugal avait pris position pour l'une ou l'autre des parties, c'était l'aveu de son échec alors qu'il voulait à tout prix — comme l'O.U.A. d'ailleurs — épargner un Vietnam à l'Afrique.

D. P. — *L'Angola devenue indépendante, vous êtes libérés du « devoir de réserve », de la neutralité, auxquels vous contraignait votre présence sur le terrain. Acteur d'une révolution qui se veut progressiste, dirigeant d'un parti qui s'affirme socialiste, vous engagerez-vous maintenant aux côtés du M.P.L.A. « progressiste et socialiste » attaqué notamment par des troupes du régime raciste d'Afrique du Sud?*

M. S. — L'intervention sud-africaine est évidemment troublante. Mais je sais aussi que bien des régimes africains soi-disant « progressistes » ont des chefs qui se comportent en rois dictant leur volonté à la masse de leurs sujets. La démocratie est encore loin de devenir la règle en Afrique. D'autre part, nous devons tenir compte des intentions de pénétration soviétiques dans cette région du globe, avec des visées concrètes pour exercer une influence dans l'Atlantique-Sud. La question angolaise est donc particulièrement complexe et ne se pose pas seulement en termes idéologiques : c'est un conflit qui met en jeu la stratégie mondiale, l'équilibre des forces.

Tous les mouvements — y compris le M.P.L.A. — ont des responsabilités dans la situation présente et c'est pourquoi mon parti préfère rester prudent, d'autant que nous devons prendre en considération la présence de dizaine de milliers de rapatriés d'Angola qui pèsent déjà lourd dans la vie politique portugaise.

D. P. — *Des pays, des partis pour lesquels vous éprouvez de réelles sympathies ont reconnu sans hésiter le gouvernement formé à Luanda par le M.P.L.A. C'est le cas de la Yougoslavie. Serez-vous donc en reste ?*

M. S. — C'est vrai qu'il est très mauvais de laisser le M.P.L.A. sous la seule dépendance de l'U.R.S.S. ou de Cuba. Je comprends donc la position yougoslave, et, bien sûr, je n'exclus pas que mon parti engage un débat approfondi sur ce sujet, précise ou reconsidère sa position en fonction de la nouvelle situation, très incertaine jusqu'à présent.

D. P. — *Souhaitez-vous, personnellement, la victoire du M.P.L.A. ?*

M. S. — S'il manifeste une véritable indépendance vis-à-vis de la stratégie soviétique en Afrique et s'il montre qu'il est bien resté le mouvement progressiste non sectaire que l'on connaissait, oui, je souhaite son succès.

CHAPITRE IV

La chute du monocle

Dominique POUCHIN. — *L'équivoque Spinola n'aura duré que cinq mois. Poussé sur le devant de la scène en avril par des capitaines mutins en quête de légitimité, il a tenté de se libérer de leur vigilante tutelle. En vain. Son appel, mal inspiré, à une introuvable « majorité silencieuse », échoue devant les barricades révolutionnaires d'une nuit de septembre. Rebelle à toute soumission, le général vaincu n'a plus qu'à se démettre. Cet échec cinglant a été précédé, au mois de juillet, d'un revers plus discret mais non moins décisif : c'est l'histoire d'une révolution de palais avortée. Seule victime apparente : M. Palma Carlos, Premier ministre, un homme que vous connaissiez bien.*

Mario SOARES. — Et je ne suis pas seul. Palma Carlos rappelait à bon nombre de ses ministres leurs années de jeunesse, les bancs de l'université. Il avait été notre professeur de droit et nous lui gardions, de cette époque, estime et sympathie. C'était un homme chaleureux et fraternel, un grand avocat nanti d'une appréciable fortune. Un franc-maçon typique, anticlérical, républicain par tradition, libéral et antifasciste. Il fut longtemps interdit d'enseignement, le gouvernement lui refusant une chaire. Il a défendu mon père, emprisonné, dans les années trente. Mais il a ensuite abandonné toute action politique et pris

51

ses distances vis-à-vis de l'opposition qui l'a pourtant
encore sollicité après la guerre. Il se disait toujours démocrate mais s'était à peu près réconcilié avec le régime.
D'où notre étonnement quand le M.F.A. l'a invité à
« reprendre du service » : il était hors du jeu politique, ne
connaissait pas les hommes, ne comprenait rien aux communistes. Mais il a commencé à travailler sans heurter
personne, de façon assez libérale. Il n'empiétait pas sur
les responsabilités de ses ministres, coordonnait davantage qu'il ne gouvernait.

D. P. — *Mais il a pris goût au pouvoir et, en bon partisan de
l'ordre, n'aimait pas les fièvres qui se prolongent.*

M. S. — Il a senti qu'il ne maîtrisait pas le cours des
choses et me l'a confié quand nous sommes allés ensemble
à Bruxelles, pour l'anniversaire de la signature du pacte
atlantique. Il me dit alors, l'air soucieux : « Je n'ai pas
l'autorité suffisante pour rétablir l'ordre. J'ai besoin de
pouvoirs plus étendus, je vais les demander... » D'où pouvait venir cette soudaine détermination ? Qui poussait
Palma Carlos à sortir de sa réserve habituelle ? Spinola,
sans le moindre doute. Le Premier ministre s'est donc
lancé dans l'aventure, a demandé de nouveaux pouvoirs
et une modification de la loi qui établissait la collégialité
dans le gouvernement, convaincu que tout cela était
indispensable et qu'il avait la force pour l'imposer en
prenant appui sur le président de la République. Mais la
crise s'est précipitée, les dessous de l'affaire sont apparus
plus clairs. Spinola n'a pas insisté, s'est caché en coulisses
et a laissé tombé, sans un mot, l'homme qu'il avait envoyé
tester le terrain, en avant-garde. Palma Carlos a compris
son erreur et s'est très bien comporté : il est parti, discrètement, sans rancune.

D. P. — *Quel était l'objectif de Spinola?*

M. S. — Casser le M.F.A., bien sûr, et d'abord dissoudre la « commission de coordination », tête du mouvement, qui exerçait sur lui une surveillance étroite. Il voulait aussi renforcer son emprise sur le pays, par l'intermédiaire de Palma Carlos, limiter l'audience croissante des partis et isoler les communistes.

D. P. — *Un coup de barre à droite.*

M. S. — Une reprise en main dans un sens autoritaire. Mais Palma Carlos est un démocrate, il n'a jamais eu d'intentions dictatoriales. Certaines amitiés, trop voyantes, le gênaient un peu : il avait de solides relations dans la haute finance portugaise qui, à cette époque, restait encore très puissante.

D. P. — *Vous semblez avoir oublié qu'un homme a joué, dans cette crise un peu florentine, un rôle déterminant : Sá Carneiro, dirigeant du P.P.D.*

M. S. — Je n'ai pas oublié et je sais que Sá Carneiro conserve un mauvais souvenir, et quelque ressentiment, de cette affaire. C'est un homme difficile. Il était le collaborateur le plus proche de Palma Carlos, une sorte de Vice-Premier ministre. Aussi était-il dans le coup, évidemment.

D. P. — *Luttes d'influence, manœuvres de couloir, intrigues politiciennes... Tout cela a existé. Mais n'est-ce pas seulement le reflet, dans l'institution, d'une révolution qui commence à bouillonner. Entre mai et juillet, le Portugal connaît une vague de grèves, souvent « sauvages » et prolongées; les mouvements revendicatifs touchent la plupart des secteurs d'activité. Quelques jours avant que la crise éclate, le gouvernement discute une loi sur le droit de grève. Sá Carneiro présente un projet très restrictif, draconien même. Spinola dans l'ombre, Palma Carlos en franc-tireur, Sá Carneiro législateur... N'est-ce pas une droite qui construit ses remparts contre une base qui gronde ?*

M. S. — Vous parlez de droite sans discernement. Palma Carlos n'était pas un homme vraiment de droite : un conservateur, si vous voulez. Le P.P.D., c'est le centre, en certaines régions, le centre-droit. Comment auriez-vous qualifié, alors, tous les autres, actifs à cette époque, représentants directs des grands intérêts économiques ? Ceux qui, étant carrément de droite, ne sont pas pour autant fascistes...

D. P. — *N'est-ce pas précisément pour les défendre que Spinola a voulu réagir ?*

M. S. — C'est vrai : certains ont voulu limiter la portée de la révolution, définir les bornes de l'acceptable, jouer à Lisbonne comme Caramanlis à Athènes. Or, les revendications, les grèves n'avaient rien de surprenant. C'était même naturel après cinquante années de fascisme. Je m'y attendais.

D. P. — *Comme on attend un mauvais rhume quand vient l'hiver ?*

M. S. — Pas du tout. Mais c'était prévisible, normal et c'est pour cela que j'ai jugé très judicieux que l'on nomme un communiste au ministère du Travail.

D. P. — *En juillet, Spinola, avisé, a rompu l'assaut dès que sa « garde » — Palma Carlos — s'est trouvée dangereusement découverte. Mais il n'a pas renoncé. Et, puisque le complot d'antichambre s'avère impossible, il fait appel au « peuple », attend de lui un plébiscite qui portera l'estocade aux capitaines-cerbères et aux partis qui gênent ses ambitions de Bonaparte. Le 28 septembre, la « majorité silencieuse » doit faire entendre sa volonté.*

Elle restera muette. Quelques dizaines de barricades ont eu raison de Spinola. Cette nuit-là, vous étiez loin...

M. S. — A Strasbourg, où je devais intervenir en séance du Conseil de l'Europe. J'avais passé l'été à l'étranger, dont plus de quinze jours aux Nations unies. J'étais un peu coupé de la situation intérieure, mais je savais qu'elle se détériorait. J'ai donc appris par la radio, à six heures du matin, que la crise avait éclaté. Mon chef de cabinet m'a téléphoné de Lisbonne, mais il n'avait guère plus d'informations : « Je ne sais pas très bien ce qui se passe, me dit-il, les radios donnent des nouvelles contradictoires, il paraît que la révolution est redescendue dans la rue... » J'ai hésité à rentrer immédiatement, mais j'ai préféré rester à Strasbourg, pour expliquer et défendre, une fois de plus, le sens des bouleversements survenus dans mon pays. Les dépêches des agences de presse et les messages de mon cabinet m'arrivaient au cours même de mon intervention et j'ai ainsi pu répondre sur le vif aux questions souvent inquiètes des membres du Conseil.

Je suis revenu aussitôt après, le 29 septembre. Le pays était en pleine effervescence, le parti mobilisé, du Nord au Sud, sur les barricades et sur les routes, contre la « minorité ténébreuse » — c'est le nom dont la gauche avait affublé la « majorité silencieuse » de Spinola. Tout ce remue-ménage m'a un peu effaré : on parlait d'offensive réactionnaire, de retour du fascisme... Où était donc ce grand péril ? Mais je rentrais d'un long voyage et mes amis, restés sur place, étaient apparemment convaincus du danger, engagés à fond dans le combat.

Des camarades m'attendaient à l'aéroport, un petit pistolet dans la poche ! Je ne suis même pas certain qu'ils savaient s'en servir. Ils m'entourèrent aussitôt, en m'expliquant : « Nous sommes vos gardes du corps. Vous pouvez être kidnappé, assassiné peut-être. La droite a attaqué. Personne ne sait où est Cunhal. Vous devez faire de même, vous cacher quelque temps dans un endroit discret... » J'ai réagi immédiatement : « Rangez ces pistolets, ça ne sert à rien, c'est du folklore. Qu'est-ce que c'est que cette agitation ? Il y a un parti, une direction, on va la réunir. Je vais rentrer chez moi, dans ma voiture et on discutera calmement... »

J'étais perplexe. La corrida mouvementée de Campo Pequeno [1], la majorité silencieuse, la marche sur Lisbonne, les barricades... Curieux scénario.

D. P. — *Scénario ? Pensez-vous, aujourd'hui, que le « coup du 28 septembre » n'a été qu'une énorme machination ?*

M. S. — Je n'irais pas si loin, mais la répétition, presque un an plus tard, du même schéma — contre les socialistes cette fois — devrait faire réfléchir. Les communistes ne nous ont-ils pas accusés, le 19 juillet 1975, d'organiser une « marche sur Lisbonne » de la « majorité silencieuse » ? N'ont-ils pas tenté de dresser de nouvelles barricades ? Cela doit inciter à revoir d'un œil critique l'histoire « officielle » du 28 septembre. Mais il est aussi incontestable que Spinola s'est lourdement trompé. Il a commis de graves erreurs : l'appel à la majorité silencieuse a été très mal préparé, donc mal suivi. Si Spinola voulait une manifestation massive de soutien, il pouvait s'y prendre tout autrement : aller faire son discours à l'O.N.U., où j'avais préparé le terrain, et recevoir après le tribut de la nation. C'est finalement Costa Gomes qui a prononcé ce discours : son retentissement fut un réel succès.

1. Le 25 septembre, aux arènes de Campo Pequeno, à Lisbonne, une corrida à laquelle assistait Spinola et le général Vasco Gonçalves avait donné lieu à des manifestations hostiles au Premier ministre. Des bagarres avaient éclaté, à la fin, entre spinolistes et militants de gauche.

D. P. — *Finalement, vous reprochez surtout à Spinola de s'y être mal pris.*

M. S. — Je lui reproche ses erreurs de calcul. Pire, de stratégie. Il est tombé dans tous les pièges qu'on lui a tendus. Parti en guerre contre les communistes, il leur a, au bout du compte, énormément facilité la tâche.

D. P. — *Vous doutez, maintenant, qu'il y ait eu offensive concertée, sinon conspiration, de la droite. Les faits sont tout de même troublants : dans les semaines qui précèdent la crise, on voit apparaître une multitude de petits partis qui, tous, proclament leur attachement au libéralisme, au progrès, voire au « travaillisme ». Leurs sigles sont trompeurs. Un général, membre de la Junte de salut national — Galvão de Melo — affirme que le communisme est frère jumeau du fascisme et parle de « campagne orchestrée contre la démocratie par des non patriotes »... Votre parti est parmi les premiers à dénoncer la mobilisation de la majorité silencieuse. N'y a-t-il pas, en effet, des raisons de s'inquiéter ?*

M. S. — Il est facile d'aligner des faits et d'en tirer des conclusions hâtives. Mais, pour étayer l'hypothèse d'une conspiration, il faut avancer des preuves irréfutables. On a rédigé un long rapport sur cette affaire : qui a-t-il sincèrement convaincu qu'une grande conjuration se tramait contre la démocratie? On présente Galvão de Melo comme un grand chef fasciste : c'est l'un des rares officiers qui ait eu maille à partir avec l'ancien régime; il a démissionné et rejoint l'opposition. Je ne pense pas qu'il ait comploté, ni en cette occasion, ni après.

Certes, la droite a manœuvré. Il y a eu poussée réactionnaire mais certains l'ont gonflée, pour mieux l'utiliser à des fins partisanes. Le parti socialiste n'a pas, sur le coup, apprécié ainsi la situation et a lui-même contribué à gonfler le danger : mes camarades sont allés sur les barricades. La manifestation de la majorité silencieuse était une pression inopportune. Le gouvernement devait se donner les moyens de l'empêcher. Quant au complot contre-révolutionnaire, permettez-moi d'en douter.

Il convient seulement de retenir que l'énorme mobilisation réalisée ce jour-là a entraîné une accélération soudaine du processus dont le parti communiste et ses alliés ont su pleinement profiter.

D. P. — *Pourquoi pas les socialistes?*

M. S. — Parce que nous avions participé au mouvement en toute bonne foi. Mais quand on a vu que le danger n'existait pas, ou n'était plus perceptible, on est rentré chez soi pour reprendre une vie normale. Les autres ont poussé l'avantage et occupé le terrain. La manipulation des organes de presse date de cette époque. On a commencé à voir et désigner partout l'hydre réactionnaire à l'œuvre : on a voulu, de cette manière, étouffer toute critique, toute contestation honnête. La réaction devient tout ce qui gêne un tant soit peu.

D. P. — *J'ai l'impression que quand on vous parle de danger de droite, vous avez froid dans le dos... du côté gauche.*

M. S. — C'est une façon un peu pittoresque et sûrement injuste d'interpréter mes propos. Je ne veux pas être dupe, je dois être sincère. Je n'ai cure des réponses toutes faites, des clichés de l'histoire officielle. J'essaie d'examiner les événements dans un sens critique, de m'interroger sans préjugés. Bien sûr, la droite n'est pas restée inactive entre avril et septembre, mais le soulèvement des capitaines lui a porté un tel coup qu'elle n'a pas encore, à ce moment, relevé la tête. Alors, ne me dites pas que j'ai plus peur de la gauche que de la droite : j'ai toute ma vie combattu la droite et je continue de le faire, mais je refuse d'être grugé ou d'être un instrument manipulé.

D. P. — *30 septembre, Spinola abandonne. Il laisse un discours-testament, où tout est peint en noir : le pays s'enlise dans un « climat d'anarchie généralisée dans lequel chacun dicte sa propre loi... La crise et le chaos sont inévitables ». La suite, si l'on vous suit bien, semble lui avoir donné raison.*

M. S. — Si l'on suit bien la réalité portugaise, tout simplement. Son discours m'a fait une drôle d'impression : il avait, reconnaissons-le, en partie raison. Le ton était alarmiste, mais l'analyse comportait plus d'un élément juste. Il n'a pas décrit la situation réelle au 30 septembre, mais bien celle que nous avons connue quelques mois plus tard.

D. P. — *A-t-il seulement eu tort d'avoir raison trop tôt?*

M. S. — Mais il était grandement responsable de la situation qu'il dénonçait. C'était en partie le fruit de ses erreurs. Pourquoi s'est-il démis? Était-il obligé de le faire? Quelqu'un l'a-t-il poussé? Personne n'a encore répondu à ces questions. Une seule chose est certaine : Spinola a engagé l'épreuve de force sur un bluff. Mauvais calcul, manque d'imagination, défaut de préparation... Il a quelques graves responsabilités. Il est parti sur un discours du genre apocalyptique et s'est fait fort, ensuite, de rappeler ses « prophéties » du 30 septembre. Il est sûrement important d'avoir raison mais il est encore préférable de savoir faire face à la situation et d'être capable d'éviter le pire.

CHAPITRE V

Vents d'Ouest dominants

Dominique POUCHIN. — *D'abord chargé par Spinola de rassurer un Occident stupéfait, puis ministre des Affaires étrangères soucieux d'ouvrir au Portugal les portes du monde entier, vous avez, en un an, fait le tour des capitales. Mais, commis voyageur d'une cause commune, on vous a bientôt reproché de jouer les courtiers d'une seule boutique, d'une seule tendance : la vôtre. Certains, soulignant les liens intimes qui vous unissent aux « cousins » sociaux-démocrates de Londres, Bonn et Stockholm, vous accusent même d'avoir été complice du « chantage de l'Europe » sur la révolution portugaise.*

Mario SOARES. — C'est là une accusation grave et d'autant plus injuste que j'ai, dès les premiers jours de la révolution, mis l'intérêt national au-dessus des préoccupations partisanes. Je n'ai pas hésité à partir, le 2 mai 1974, quand on m'a demandé d'aller expliquer aux chefs d'États européens l'importance des changements intervenus au Portugal. Ce jour-là, pourtant, mes amis m'avaient pressé de rester à Lisbonne pour organiser au plus vite les structures d'accueil du parti.

Je ne les ai pas suivis car j'étais seul à pouvoir remplir la mission qui m'était confiée. Qui connaissait suffisamment Willy Brandt pour lui demander un rendez-vous dans la journée? Qui pouvait organiser, à la sauvette, une rencontre avec le président Senghor, de passage à Paris? Qui était en mesure de réunir à Helsinki, sur un simple appel, les leaders de la social-démocratie scandinave? Qui Harold Wilson attendait-il pour reconnaître sans plus tarder le nouveau régime portugais?

D. P. — *N'avez-vous jamais utilisé, par la suite, toutes ces « facilités » pour freiner une évolution politique que vous désapprouviez, pour conduire la révolution sur une voie que vous estimiez plus favorable ?*

M. S. — Il est évident que mon parti a tiré profit de ces voyages : le peuple portugais a aussitôt compris que j'étais l'homme capable d'ouvrir toutes ces portes et que le parti socialiste serait l'artisan inlassable d'une politique de large ouverture sur le monde extérieur. Quoi de plus naturel? Le destin du Portugal est lié, par essence, à celui de l'Europe. Voilà ce qu'Alvaro Cunhal se refuse à comprendre : il croit possible une révolution socialiste à l'extrême pointe du vieux continent sans tenir compte des données de la situation internationale, en négligeant les contraintes de la politique européenne, en oubliant le voisinage immédiat de l'Espagne.

J'ai, au contraire, le souci constant que notre révolution contribue à la progression générale de la gauche européenne et d'abord en Espagne. Or, l'accélération brutale du processus portugais, l'influence croissante — et néfaste — des communistes à Lisbonne, ont rendu un bien mauvais service à tous les démocrates espagnols : elles ont gêné l'action positive des libéraux au sein même du régime et favorisé le durcissement des « ultras ». Le spectacle de la crise portugaise a servi de repoussoir et renforcé les arguments des conservateurs devant un peuple encore traumatisé par une horrible guerre civile. On pourra certes m'opposer le fait, indéniable, que le P.C. espagnol est loin de ressembler à son homologue portugais. Le parti de Santiago Carillo[1] a maintes fois manifesté son attachement à la démocratie : la guerre civile lui a beaucoup appris et il sait aujourd'hui ce que l'on risque à vouloir pousser le cours de l'histoire au mépris des réalités.

Mes amis socialistes espagnols me reprochent souvent mes rapports d'amitié avec Carillo et son parti : « On a toujours un faible pour les communistes du voisin », disent-ils. Mais je suis sincèrement convaincu qu'un fossé sépare les deux P.C. de la péninsule. Reste pourtant que nous avons créé de sérieuses difficultés aux partisans du changement en Espagne. J'en ai parlé à Cunhal, il m'a simplement répondu : « Quand la révolution est à portée de la main, il ne faut pas la lâcher pour ce genre de considérations. » Raisonnement froid, logique, mais aveugle. Pour marcher d'un pas sûr vers le socialisme sans exposer le peuple à d'inutiles sacrifices, nous devons adapter notre propre rythme à l'évolution de toute la gauche, en France, en Italie et surtout en Espagne.

D. P. — *N'avez-vous pas davantage desservi l'opposition espagnole en maintenant le « pacte ibérique » qui vous liait au régime de Franco?*

M. S. — Réplique classique et attendue : mais il faut savoir distinguer les relations de parti à parti, et les rapports d'État à État. Qui confond ces deux réalités ne comprend rien à la politique.

D. P. — *Pour le parti, on a quelques principes; pour l'État, on en a un peu moins...*

1. Secrétaire général du P.C. espagnol.

M. S. — Non. Les principes sont essentiels et un politicien qui les oublie est un homme sans étoffe, un opportuniste. Mais outre les principes, il y a les réalités : l'art de la politique est d'accorder le tout. C'est ainsi que nous avons agi vis-à-vis du « pacte ibérique » : nous avons établi avec l'Espagne des rapports de bon voisinage qui ont donné d'excellents résultats. L'ambassadeur espagnol est un libéral, ami du Portugal, capable de comprendre nos intentions. Des pourparlers ont été engagés pour substituer au « Pacte », instrument désuet, un véritable traité d'amitié où l'intérêt des peuples remplace les préoccupations idéologiques. Nous défendons ainsi l'intérêt national, car nous sommes tributaires de l'Espagne pour plus d'une richesse vitale, au moins pour l'eau et l'énergie.

Enfin, chacun sait que des nostalgiques de l'ordre salazariste campent à nos frontières. Certains conspirent. Si nous voulons éviter que l'Espagne ne se transforme en base contre-révolutionnaire, nous devons, de notre côté, l'assurer de notre neutralité et ne pas intervenir dans ses affaires intérieures. On n'exporte pas une révolution.

D. P. — *Surtout lorsque l'Europe du marché commun tient à se protéger d'une redoutable contagion. Or, vous gardez les yeux rivés sur elle. D'autres, au contraire, lorgnent sur le tiers monde et parlent de non-alignement.*

M. S. — Je suis un Européen convaincu, partisan de l'Europe du possible. De Gaulle voyait très loin, ou de très haut, d'un seul regard qui embrassait le continent de l'Oural à l'Atlantique. Soyons peut-être moins ambitieux : une communauté est née, elle vit et doit grandir, s'élargir. Confiante dans son propre dynamisme, elle peut avancer vers un socialisme qui se distinguera naturellement de ceux que l'on connaît aujourd'hui car elle restera fidèle à ses traditions d'humanisme et de liberté. Voilà le mouvement historique dans lequel le peuple portugais doit s'intégrer.

Bien sûr, nous sommes encore à la traîne de l'Europe mais d'elle vient l'essentiel de notre identité : une civilisation, une culture, un système de référence, des habitudes, des aspirations, des désirs et même un niveau de vie communs. Notre économie est liée à l'Occident à quatre-vingts pour cent et plus d'un million de Portugais vendent leur force de travail en France, en Allemagne, au Canada... Où est donc le tiers monde dans tout cela? La réalité est plus forte que les beaux discours sur les mérites d'une ouverture au tiers monde.

Le major Melo Antunes lui-même, que l'on présenta un temps comme le plus fervent défenseur d'une ligne « neutraliste », s'est fait, devenu ministre des Affaires étrangères, l'avocat d'une politique d'ouverture à l'Europe sans abandonner pour autant l'idée juste du maintien et du renforcement de nos liens séculaires avec le tiers monde, principalement l'Afrique. J'ai bien souvent évoqué notre vocation africaine : nous sommes un pont entre la vieille Europe et l'Afrique qui se construit, un trait d'union entre deux mondes. Dans ce contexte encore, s'inscrivent mes efforts pour établir des relations durables et bénéfiques avec l'ensemble des pays arabes. Mais rien ne peut faire oublier que nous sommes d'abord européens et que nous devons le rester. Cela, d'ailleurs, renforce l'intérêt de notre liaison avec l'Afrique.

D. P. — *Est-ce cette idée fixe, cette profonde conviction qui rassure M. Kissinger? Il y verrait, dit-on, le plus sûr garde-fou contre le « neutralisme actif » incarné par Melo Antunes. O Journal, hebdomadaire portugais, écrivait récemment, citant des sources autorisées de la Maison Blanche : « Les Américains sont déterminés à soutenir Mario Soares contre le communisme mais aussi contre le neutralisme actif de Melo Antunes... Kissinger estime que, pour le Portugal, la seule issue est une sorte de social-démocratie, proche de celle qui gouverne en Allemagne fédérale... Soares, selon lui, est la garantie que le Portugal se maintiendra au sein de l'O.T.A.N. et que le rapport de forces ne sera pas modifié dans le bassin méditerranéen. »*

M. S. — Spéculation de journaliste. La diplomatie de Melo Antunes n'est pas différente de la mienne. Il a « bonne presse » en Europe où il fait figure d'homme raisonnable, maître de ses dossiers. Il a rencontré à Washington Kissinger et le président Ford : rien n'indique qu'il ait été mal accueilli.

Quant au fond, on ne saurait que se féliciter de voir les Américains préférer une orientation de type socialiste, une démocratie politique s'engageant dans la voie du socialisme, à un régime de droite ou d'extrême-droite. Qui oserait s'en plaindre ? Il serait extrêmement positif que la Maison Blanche encourage les partisans de la démocratie et renonce ainsi à cautionner une nouvelle aventure spinoliste.

Je ne sais quels sentiments M. Kissinger éprouve à mon égard. Peu importe. J'ai eu plusieurs entretiens avec lui et j'ai toujours cherché à le convaincre que l'Amérique devait, dans son propre intérêt, aider le Portugal. Ma thèse était très simple : sans un minimum de stabilité économique, il n'y a pas la moindre chance d'instaurer et de consolider une démocratie politique. Si, comme ils ne cessent de le répéter, les États-Unis tiennent à préserver l'équilibre en Europe, ils comprendront où se trouve le danger et nous aiderons à le conjurer par un réel soutien économique. Au début, on ne m'a guère écouté : l'exécutif américain semblait même résigné à l'idée d'un Portugal perdu pour l'Occident, malgré la brèche qui s'ouvrait ainsi dans son système de défense.

Dans l'entourage de Kissinger, on a peut-être cru à la

fatalité d'une dictature communiste à Lisbonne, à un second Cuba. C'est la célèbre « théorie du vaccin » : puisque, après tout, le Portugal passait dans l'autre camp, il servirait au moins à vacciner l'Europe contre le communisme... Du côté de Moscou, les calculs allaient aussi bon train : en poussant les choses un peu trop loin, imaginaient certains, on contraindrait « l'impérialisme U.S. » à intervenir et on se dédouanerait ainsi de la « bavure » tchécoslovaque...

D. P. — *Hypothèses hasardeuses, jeux de paradoxes. Ne seraient-ce pas des vues de l'esprit que la réalité est venue infirmer ?*

M. S. — Pendant des mois, la diplomatie américaine est restée très discrète à l'égard du Portugal alors que les Russes, dès que l'échange d'ambassadeurs a été réalisé, ont intensifié les relations dans tous les domaines, culturel, commercial et politique. Au Département d'État, on s'en tenait à un timide et prudent *wait and see*. Puis les Américains ont senti qu'il y avait de solides pôles de résistance à l'emprise communiste sur le pays. La situation n'évoluait pas dans le sens de leurs prévisions et de leurs craintes : cela justifiait donc un appui concret au nouveau régime.

J'ai alors rencontré M. Gerald Ford qui avait accordé au général Costa Gomes une audience à laquelle j'ai assisté. Le locataire de la Maison Blanche ne m'a pas fait une impression extraordinaire : un homme de bonne volonté, style Américain moyen, animé d'une certaine sympathie pour notre pays mais visiblement préoccupé de l'avenir. Rien de comparable avec Henry Kissinger, sans cesse en alerte, percutant et toujours pressé. Nous leur avons expliqué notre politique d'ouverture à l'Est, les difficultés de la décolonisation et nous avons donné les assurances nécessaires : il n'était pas question pour nous de bouleverser les rapports de forces internationaux, notre position stratégique restait intangible et notre appartenance à l'O.T.A.N. ne pouvait être remise en cause.

D. P. — « *Ne vous inquiétez pas : nous sommes là, nous veillons au grain. Aidez-nous, votre parapluie nous intéresse...* » *C'est, en substance, ce que vous avez dit.*

M. S. — Aucun parti portugais responsable, y compris le P.C., n'a jamais contesté notre participation au Pacte atlantique. Personne ne doute qu'on ait besoin d'un parapluie. C'est totalement irréaliste de vouloir couper le Portugal du monde auquel il appartient par l'histoire et par l'intérêt. Chose étonnante, j'ai moi-même signé, un jour de 1949, un manifeste contre le Pacte atlantique : cela m'a valu quelques jours de cachot.

D. P. — *Vingt-cinq ans plus tard, vous alliez parapher la charte de l'Atlantique pour fêter l'anniversaire du même pacte. Les temps changent.*

M. S. — Je n'ai pas manqué de faire le rapprochement. Mais j'ai signé, à Bruxelles, en toute conscience, sûr d'être resté fidèle à mes principes. En 1949, au début de la guerre froide, je n'estimais pas à sa juste mesure l'enjeu réel du combat engagé, le danger mortel qui menaçait l'Europe. Aujourd'hui, j'ai compris : je suis partisan de la détente, mais la prudence s'impose. La paix m'est trop chère pour que j'accepte un désarmement unilatéral qui laisserait l'Occident sans défense et rangerait tous les atouts du côté du bloc communiste. J'ai, à une certaine époque, été influencé par les thèses neutralistes que défendait l'équipe de *France-Observateur* mais je crois maintenant que nous pouvons jouir d'une certaine indépendance à l'intérieur du camp occidental. La Roumanie ne fait-elle pas de même à l'Est? Cela préserve des dangereuses illusions sur une rupture d'alliances. Moscou et les pays du pacte de

Varsovie comprennent fort bien ces principes de base :
pour eux comme pour nous, c'est une règle du jeu et j'ai
toujours senti, dans mes conversations avec les leaders
communistes, qu'elle avait été assimilée. L'évidence est là :
nous sommes un pays de l'Ouest.

D. P. — *Et, si l'on en croit certains, cette « évidence » mille
fois défendue vous vaut quelques subsides. Le* New York Times
*a affirmé que l'ensemble des partis ou groupements non commu-
nistes portugais recevaient des fonds de la C.I.A., transmis par
l'intermédiaire des syndicats allemands. Est-ce vrai?*

M. S. — Non. Le *New York Times* est un journal très
sérieux qui s'est, en la circonstance, laissé aller à de graves
accusations sans présenter la moindre preuve. Pour ce qui
concerne le parti socialiste, l'information est totalement
fausse. Pour les autres, ce n'est pas à moi de répondre. Le
même article faisait état d'une aide considérable de
l'Union soviétique au P.C. portugais : je ne reprendrai pas
de tels écrits à mon compte car, là encore, je n'ai pas de
preuve.

Mais la question dépasse de loin l'aspect étroit d'un
pseudo-financement camouflé des partis.

On parle souvent d'une manne providentielle qui tom-
berait sur le Portugal. Certains ont annoncé un nouveau plan Marshall. Cela m'a rappelé l'accueil qui fut
réservé au premier dans mon pays. Salazar, superbement
retranché dans un orgueil très « espagnol » (et non portugais) l'a refusé. J'étais en prison. Les communistes organisaient partout de grandes manifestations hostiles au
« plan impérialiste » et j'étais de tout cœur avec eux. Pourtant, je reconnais aujourd'hui que l'aide Marshall a créé
un dynamisme, suscité une expansion qui a permis la
reconstruction rapide de l'Europe...

D. P. — *...et redressé un capitalisme chancelant.*

M. S. — Bien sûr mais entre le développement de la richesse, même mal répartie, et la destruction de la production, je n'hésite pas une seconde. Je refuse de bâtir un socialisme de la misère.

D. P. — *Ce que le nouveau plan vous épargnera?*

M. S. — L'expression « second plan Marshall » a été lancée en France par *L'Express*. Elle n'est pas très heureuse du fait de ses connotations politiques mais l'idée même que l'Europe et l'Amérique doivent aider le Portugal à développer ses richesses nationales et à relever son économie défaillante est profondément juste. Telle est la condition *sine qua non* d'une stabilisation politique sur une base démocratique. Le reste dépend de nous : si nous voulons éviter que l'aide étrangère ne renforce le capitalisme, il nous faut appliquer un code des investissements rigoureux et mettre en place une véritable politique du crédit. On ne rejette le soutien de personne mais il est facile de constater que, jusqu'à présent, ni l'Union soviétique, ni aucun autre pays de l'Est européen, n'ont rien proposé qui puisse remplacer l'aide de l'Occident.

D. P. — *Ainsi, vous concevez sans mal une révolution « financée » par le monde occidental?*

M. S. — Je pense plus simplement que le capitalisme américain peut très bien « digérer » une transformation économique et sociale profonde au Portugal. Peu lui importe finalement le nombre des nationalisations ou le mode de gestion des entreprises. Il est susceptible d'admettre une marche vers un socialisme démocratique pourvu que le nouveau régime ne tombe pas sous l'emprise de l'Union soviétique, que les ports portugais et les bases des Açores ne servent pas l'autre camp. Comment supporterait-il qu'un pays de l'O.T.A.N. confie la direction de son armée à des hommes liés à l'Est? C'est un tel alignement, provoqué par l'action souterraine du parti communiste, que rejettent les Américains et non l'idée d'une évolution progressiste au Portugal.

D. P. — *Le danger à peine écarté, les gouvernements et une bonne partie de la presse de l'Occident ont en effet paru soulagés et vous ont exprimé leur reconnaissance. Cela ne vous a-t-il pas un peu gêné?*

M. S. — Vous semblez oublier la sympathie manifestée à notre égard, au même moment, par de nombreux pays non alignés du tiers monde comme la Libye, la Tunisie, le Sénégal ou la Zambie. Et surtout la position très nette de la Chine qui a salué notre « victoire ». Où sont l'impérialisme et le capitalisme parmi tous ces soutiens?

Mon seul regret, quand j'ai abandonné le ministère des Affaires étrangères, était de n'avoir pu établir de relations diplomatiques avec Pékin. Les Chinois sont méfiants : ils redoutent l'influence que l'U.R.S.S. peut exercer au Portugal grâce au parti communiste. Ils ont multiplié les déclarations favorables à un renforcement des liens entre Lisbonne et le Marché commun et ont soutenu tous nos efforts dans ce sens. J'ai rencontré de nombreux ambassadeurs chinois, à Bonn, à Paris, à Kinshasa, aux Nations unies : tous manifestaient un grand intérêt pour notre situation, semblaient la suivre très attentivement en restant vigilants, ce qui ne les empêchait pas d'exprimer une sympathie sincère envers mon parti et moi-même.

D. P. — *L'Europe d'un côté, les États-Unis de l'autre : seriez-vous donc résolument un « homme de l'Ouest », un paravent des intérêts occidentaux?*

M. S. — C'est bien ainsi que l'on veut me présenter mais l'accusation ne résiste pas à une analyse un tant soit peu honnête : j'ai été l'artisan de l'ouverture à l'Est et j'ai toujours préconisé l'extension et la diversification de nos échanges avec les pays communistes et les pays du tiers monde, asiatiques, arabes et africains. Mes voyages en Union soviétique, en Yougoslavie et en Roumanie, mais aussi en Tunisie, Libye, Somalie et Inde y ont contribué et je m'en félicite.

D. P. — *Moscou vous a pourtant réservé un accueil mitigé. Aucun des trois « grands » soviétiques — Brejnev, Kossyguine et Podgorny — ne vous a reçu. Cette relative désaffection ne vous a-t-elle pas surpris ?*

M. S. — On a beaucoup spéculé sur ce sujet. Trop et sans raison. Je suis arrivé en U.R.S.S. le 2 janvier, en pleine période de vacances et je n'y suis resté qu'une seule journée. Une rencontre était programmée avec M. Podgorny mais a dû être annulée car mon avion est arrivé très en retard. C'est l'explication que l'on m'a donnée et je n'ai aucune raison de la suspecter. Je venais d'Inde et devais me rendre en Roumanie et en Yougoslavie. L'étape moscovite avait été arrangée à ma demande : je ne voulais pas que les autorités soviétiques se méprennent sur mes intentions et imaginent que j'allais rendre visite à leurs alliés les plus « turbulents » en ignorant ostensiblement le Kremlin. Ma démarche avait rencontré un écho favorable et j'ai pu m'entretenir très utilement avec M. Gromyko, le ministre des Affaires étrangères. Un grand diplomate, aussi courtois qu'impénétrable. Je tenais à lever toute ambiguïté et je lui ai expliqué de la façon la plus claire que la polémique avec le P.C. portugais n'entachait en rien le respect que je portais à l'État soviétique.

J'avais visité l'U.R.S.S. durant mon exil et j'en avais

gardé un souvenir agréable. Je ne saurais bien sûr porter un jugement après une aussi brève approche du peuple russe. Le connaît-on vraiment sans comprendre sa langue? Restent des impressions diffuses : citadins apparemment satisfaits, stricts et bien vêtus. A mille lieues des soirées colorées du quartier Latin. On se croirait plutôt dans les allées tranquilles d'un bon quartier bourgeois : c'est propre mais uniforme et l'on respire un peu l'ennui.

D. P. — *Qu'est-il sorti de votre entretien avec Andréi Gromyko?*

M. S. — Rien d'exceptionnel mais nous avons, sereinement, examiné les rapports bilatéraux. J'ai réaffirmé la fidélité du Portugal à l'alliance atlantique et constaté le parfait accord de principe de mon interlocuteur. Mais je désirais aller plus loin et nouer, au nom de mon pays et aussi — pourquoi pas? — de mon parti, des rapports amicaux avec le peuple russe et les instances dirigeantes du P.C. soviétique.

D. P. — *N'était-ce pas, pour ce qui est du parti, placer la barre un peu trop haut?*

M. S. — Pourquoi? Le S.P.D. de Willy Brandt a, vis-à-vis des communistes allemands, une politique beaucoup plus dure que la nôtre à l'égard du parti de Cunhal. Il est si peu question de dialogue que le P.C. attend encore d'être légalisé en Allemagne fédérale. Cela n'a pas empêché M. Brejnev de se montrer particulièrement chaleureux avec Brandt, ce « social-démocrate » que l'on a même reçu, en grande pompe, au soviet suprême... Je ne brigue pas les mêmes honneurs mais je m'efforcerai d'entretenir avec les autorités soviétiques des relations aussi cordiales que possible.

Les rapports se sont, il est vrai, détériorés au plus fort de la crise portugaise. La *Pravda* m'a souvent pris à partie.

Mais, peu à peu les esprits se sont calmés ; chacun a reconnu l'intérêt d'une entente fondée sur le respect mutuel et les attaques se sont adoucies. D'État à État, les principes sont plus simples, plus intangibles aussi : la non-ingérence est une règle d'or et M. Gromyko m'a assuré vouloir s'y conformer.

D. P. — *L'avez-vous cru ?*
M. S. — L'expérience m'a appris à accueillir ce genre de déclarations — M. Kissinger aussi en est friand — avec une certaine philosophie. Mais c'est un bon principe qu'il convient d'énoncer.

D. P. — *Une coutume...*
M. S. — Une bonne coutume. A force de se répéter une formule devient une règle utile. La politesse entre États ne diffère guère du savoir-vivre entre personnes.

D. P. — *Faut-il donc conclure qu'il n'y a pas eu d'ingérence soviétique au Portugal ?*
M. S. — Ce n'est pas ce que j'ai dit. J'ai rapporté la déclaration de M. Gromyko dont j'ai pris acte, rien de plus. Nous avons, entre nos deux pays, une base d'accord importante qui repose sur la volonté partagée de favoriser une politique de détente et de sécurité en Europe. Sur le plan commercial, nos rapports, encore récents, doivent être intensifiés et équilibrés puisque la balance est actuellement favorable à l'U.R.S.S. Voilà l'essentiel.

D. P. — *On a pu relever, dans certaines déclarations de votre parti, des allusions au caractère « impérialiste » de l'Union soviétique. Est-ce une notion que vous reprenez à votre compte ?*
M. S. — On a beaucoup parlé, au Portugal, du jeu « des » impérialismes. Des slogans et des banderoles sur ce thème

sont apparus lors de manifestations organisées par mon
parti : c'était surtout le fait de mouvements maoïstes qui,
obéissant à des considérations d'ordre international,
avaient décidé de soutenir notre action. Un dirigeant du
M.F.A., l'amiral Rosa Coutinho, très en vogue à une
certaine période, a aussi défendu cette idée. J'ai moi-
même, en de rares occasions, employé ce « pluriel explosif » et notamment, à la télévision, pour répondre à Alvaro
Cunhal qui tonnait contre l'impérialisme américain, avec
la véhémence qu'on lui connaît. Il fallait bien rétablir
l'équilibre...

Mais tout cela n'implique pas que le parti socialiste soit
antisoviétique. Nous ne confondons pas le combat, à
l'intérieur de nos frontières, contre les perversions du
socialisme avec les rapports que nous entretenons, et voulons cordiaux, avec un autre État et un parti étranger.

D. P. — *Parler d'impérialisme soviétique, cela suppose que
l'U.R.S.S. exploite et opprime d'autres peuples dans le monde.
Est-ce votre conviction?*

M. S. — Un homme est mieux placé que moi pour vous
répondre; il s'appelle Alexandre Dubcek.

CHAPITRE VI

Marin et sous-marins

Dominique POUCHIN. — *Ministre des Affaires étrangères, vous avez été contraint de délaisser votre parti. Il a grandi sans vous, ou presque. Et quand, au mois de décembre 1974, il prépare son congrès, vous le retrouvez si changé que vous aurez vous-même quelques difficultés à vous y reconnaître.*

Mario SOARES. — Tout m'avait éloigné des affaires du parti : la décolonisation d'abord, la diplomatie itinérante ensuite, et les rares semaines que je passais à Lisbonne étaient accaparées par des conseils des ministres-marathons et l'examen approfondi des principaux dossiers économiques ou politiques. Le parti était dès lors inévitablement relégué au second plan.

Nombre de mes amis se trouvaient devant les mêmes obstacles. Nous étions, au sortir de la clandestinité un petit parti de cadres, faiblement implanté dans les couches populaires. Il nous manquait à peu près tout ce qui est nécessaire pour peser d'un poids autonome dans la vie politique nationale : des militants, nombreux et actifs, dans chaque ville et chaque village, une organisation aguerrie et soudée, des canaux d'information efficaces, de l'argent... Les cadres — autrement dit l'essentiel de nos forces — étaient, pour la plupart, investis de responsabili-

77

tés importantes dans les secteurs les plus divers. Il fallait bien remplir les vides que provoquait l'épuration des anciens responsables et assurer ainsi la permanence de l'appareil d'État.

Tous ceux qui, en d'autres circonstances, auraient dû diriger le parti, contrôler sa croissance et canaliser vers lui les énergies qui apparaissaient du Nord au Sud du pays, étaient ainsi disséminés dans les cabinets ministériels, l'administration régionale et municipale, les directions d'organes d'information.

D. P. — *Pendant ce temps, d'autres se dépensaient à « placer des cartes » sans trop regarder la « clientèle ». Un parti « attrape-tout » ?*

M. S. — Tito de Morais, vieille figure de l'opposition démocratique et socialiste, assurait presque seul le fonctionnement d'un P.S. qui gonflait à vue d'œil. On s'était installé dans quelques pièces, au deuxième étage d'un bel immeuble qui abritait, à la veille du 25 avril, les bureaux de la censure sur les spectacles. Au cœur du *bairro alto,* le quartier chaud de Lisbonne, à deux pas de *República*. Le siège était une véritable fourmilière : Tito a été dépassé par l'énormité de la tâche qui lui incombait. Quel autre ne l'aurait pas été? On ne résiste pas longtemps, seul face à une avalanche. Or, rien n'y ressemblait davantage que ces centaines, ces milliers de gens qui venaient, entraient, s'inscrivaient sans que l'on pût contrôler quoi que ce soit. Mais ainsi le parti prenait corps et s'institutionnalisait à travers tout le Portugal. Il était temps de lui donner une ossature, des vertèbres solides, une tête et des épaules.

D. P. — *En un mot : un peu d'ordre. La reprise en main est efficace mais entraînera une scission, qui, à l'époque, fit trembler le parti et couler beaucoup d'encre.*

M. S. — L'évolution ne fut pas si rapide. Un congrès s'imposait afin de stabiliser l'organisation. Je choisis, pour le préparer, un homme de confiance, éprouvé par l'exil, intelligent et respecté, mon chef de cabinet aux Affaires étrangères, Vitor Cunha Rego qui y consacra tout son temps. Il fit d'abord approuver le règlement du congrès puis circula dans le pays, de section en section, pour se faire une idée de la réalité du parti, fruit d'une génération presque spontanée. Il commença alors à attirer mon attention sur l'extrême diversité de nos adhérents. Une tournée de meetings me confirma très vite son impression : personne ne connaissait vraiment les troupes qui nous avaient rejoints. Elles étaient hybrides. On ne parlait pas le même langage à Faro et à Braga, la formation était des plus succinctes et la ligne du parti bien souvent ignorée. On trouvait, pêle-mêle, des gauchistes et des sociaux-démocrates, des catholiques et des francs-maçons, des marxistes et des personnalistes. Le trait d'union entre toutes ces sensibilités était difficile à tracer car chacune se faisait son image du parti.

D. P. — *Vous avez joué alors de votre propre image de marque.*

M. S. — En effet. J'étais conscient du danger de personnalisation mais, à ce moment, aucun autre dirigeant ne s'était imposé au plan national. La vieille garde, le *« carré des braves »* des années noires, avait été étouffée par le rythme insensé des six derniers mois et mon ami Zenha n'avait pas encore la réputation nationale et populaire et la stature morale qu'il a acquises plus tard, notamment au travers de la polémique sur l'unicité syndicale[1].

Mon ambition était donc de renforcer et de renouveler

1. Voir plus loin, p. 101 et suiv.

le *staff* de l'organisation et, pour ce faire, d'attirer vers nous les leaders des jeunes générations militantes : des hommes comme Medeiros Ferreira, dirigeant du mouvement étudiant en 1962 qui deviendra secrétaire d'État aux Affaires étrangères dans le sixième gouvernement; comme Antonio Barreto, jeune économiste devenu secrétaire d'État au Commerce extérieur; comme Manuel Alegre aussi, qui se fit connaître dans les structures unitaires de l'opposition à Alger et adhéra au P.S. après le congrès...

D. P. — *Parmi ces nouveaux venus, une silhouette se détache : celle de Manuel Serra. Ce n'est pas un inconnu.*

M. S. — Serra avait déjà un long passé de résistant. Sous-officier de la marine marchande, il avait dirigé la Jeunesse ouvrière chrétienne et s'était engagé dans le combat politique pour soutenir, en 1958, la candidature du général Delgado à la présidence de la République [1]. L'année suivante, il organisa un putsch, échoua et fut arrêté. Mais il parvint à s'évader, retrouva Delgado au Brésil et revint clandestinement pour prendre la tête d'un nouveau complot, sans plus de réussite [2]. Ce second échec lui valut dix années de prison.

J'ai participé, en qualité d'avocat, à ses deux procès et

1. Général d'active de l'armée portugaise, Humberto Delgado fut, en 1958, présenté par l'opposition démocratique aux élections présidentielles. En dépit d'une fraude généralisée, il obtint vingt-cinq pour cent des suffrages. Devenu l'un des symboles de la lutte antifasciste et traqué par la police salazariste, il dut s'exiler quelques mois après les élections. Il fut assassiné en février 1955, en Espagne, par des agents de la P.I.D.E., police politique de l'ancien régime, *cf.* MARIO SOARES, *Le Portugal bâillonné*, Calmann-Lévy, p. 91 et 131.

2. Le 31 décembre 1961, une conspiration civile et militaire éclatait à Beja (200 kilomètres au sud-est de Lisbonne). Les « rebelles » prirent le contrôle de la caserne de la ville mais furent rapidement encerclés et maîtrisés. Ce fut la dernière tentative de coup d'État contre Salazar.

je lui ai rendu plusieurs fois visite pendant sa détention. Libéré, il vint à son tour me voir à Paris où j'étais exilé. Il n'avait jamais appartenu aux différents groupes qui ont précédé la formation du P.S. mais il manifestait une certaine hostilité à l'égard des communistes et s'était naturellement lié d'amitié avec des socialistes, dont moi-même. Au lendemain du 25 avril, je lui ai donc proposé de nous rejoindre. Il a hésité – pensant peut-être qu'il pourrait créer son propre mouvement – mais s'est finalement laissé convaincre. Il n'a posé qu'une condition : être libre d'organiser une tendance, ce que nul ne songeait à lui interdire puisque, dès sa fondation, le parti avait reconnu aux divers courants d'idées le droit de se regrouper et de s'exprimer. Ainsi est né, au sein du P.S., le « Mouvement socialiste populaire (M.S.P.).

J'avais une vive sympathie pour Manuel Serra et je lui accordais toute ma confiance. Il n'avait rien d'un idéologue : sa culture politique était assez médiocre et il ne pouvait, de ce fait, prétendre jouer les tous premiers rôles dans un parti où les penseurs ne manquaient pas, même s'ils ne s'étaient pas tous révélés. Mais c'était un homme d'action, courageux et prompt aux initiatives les plus risquées : il l'avait amplement prouvé. Il avait de réelles qualités de tribun, plaisait aux foules, savait galvaniser ses partisans. Il m'a accompagné dans de nombreux meetings et sa popularité n'a fait que croître.

Pourtant, il restait très discret, effacé même, dans les débats de la direction. Il ne semblait y prendre aucun intérêt. On comprit, plus tard, les raisons de son attitude : il se préoccupait surtout de gonfler son mouvement... aux dépens du parti. Mais, à l'époque, j'avais tellement confiance en lui que je lui ai demandé de mettre en place la sécurité, l'information et la propagande de l'organisation. Il en fit son bastion. Certains ont alors voulu me mettre en garde : « Serra travaille contre nous, il cherche à prendre le pouvoir dans le parti », me disait-on. Cela me semblait si étrange, si peu réaliste, que je n'y prêtais guère attention. J'en ai tout de même parlé occasionnellement à Serra qui s'est empressé de se justifier et de me rassurer : « Ces bruits de couloir n'ont aucun sens. Je n'ai pas de telles prétentions. Tout se réglera au congrès où l'on pourra dissoudre les tendances... » Je le croyais...

J'avais tort. Il y avait bien conspiration et le congrès allait la révéler. Un beau complot, ourdi de l'extérieur par les services de la cinquième division[1] qui ont élaboré le plan d'attaque et fourni les moyens de l'opération. Les délégués de province avaient été habilement intoxiqués, manipulés. Un coup de force dans le parti, pour le casser et faire place nette aux ambitions des communistes.

D. P. — *Où est la politique dans toute cette histoire? A vous entendre, elle a complètement disparu : on ne voit plus qu'intrigues, machinations et hommes de main. Une pieuvre pernicieuse qui étend ses tentacules et dont les yeux brilleraient, chose étrange, du même reflet que ceux de Cunhal. N'est-ce pas une conception un peu policière?*

M. S. — Cela peut vous sembler rocambolesque mais, croyez-moi, je n'ai aucune prédilection pour les romans policiers. Cette affaire a été montée de toutes pièces pour nous éliminer. J'ai senti, dès le premier jour du congrès qu'un vilain coup se tramait dans l'ombre : les militants qui assuraient le service d'ordre m'étaient hostiles et les réactions d'une grande partie de la salle plutôt inamicales. J'ai cependant présenté, au nom de la direction sortante,

1. La cinquième division de l'état-major des forces armées, chargée de la propagande et de la « dynamisation culturelle », ne cachait pas ses sympathies pour le parti communiste et, secondairement, pour certains groupes d'extrême-gauche.

un rapport politique qui a été voté à la quasi-unanimité après quelques amendements mineurs. Personne n'est intervenu pour contester l'orientation que j'avais définie. S'il y avait lutte entre tendances, c'est là qu'elle devait se manifester. Mais nul n'a bronché. Ce n'était que partie remise.

Le débat sur le programme du parti n'entraîna pas plus de polémique, mais au troisième jour tout devint plus clair. Il s'agissait d'élire le secrétaire général et les cent cinquante et un membres de la commission nationale. Pour le premier, il n'y eut aucun problème et je fus élu par quelque neuf cents voix contre une. Mais deux listes furent déposées pour la commission nationale : l'une émanait du « clan Serra », l'autre était parrainée par l'ancienne direction. La bataille était engagée.

Très intelligemment, afin de tromper les délégués, Serra avait conservé sur sa liste certains des dirigeants les plus connus, ou les plus aimés, du parti. J'y figurais, avec Godinho, Zenha et quelques autres. Mieux, il nous avait placés en tête alors que notre liste avait été dressée par ordre alphabétique. Les militants de province, à demi intoxiqués, ne comprenaient pas très bien l'enjeu de la querelle. Mais j'ai vite réalisé le danger, Zenha également. Tous deux, nous avons mis le congrès devant ses responsabilités et nous l'avons emporté, avec plus de soixante pour cent des mandats.

L'opération de Serra avait fait long feu mais le parti était encore sous le choc malgré les vibrants appels à l'unité lancés de part et d'autre à la fin du congrès, les embrassades et l'euphorie générale.

D. P. — *Comment la représentation de la minorité — un tiers du parti — fut-elle assurée dans les organes de direction?*

M. S. — La commission nationale élue par le congrès

s'est réunie quinze jours plus tard. Serra et certains de ses amis en faisaient partie puisqu'ils figuraient sur la liste bloquée que nous avions présentée. Il fallait alors désigner le comité directeur (quarante membres) et le secrétariat national. Après une certaine confusion, deux listes s'affrontèrent de nouveau : je défendais la première et la seconde était le fruit d'une coalition entre Serra, des syndicalistes et quelques responsables des jeunesses socialistes. J'ai, cette fois encore, gagné d'une courte tête. Ma liste comprenait quatre ou cinq militants du M.S.P. et Serra lui-même se retrouvait au secrétariat.

D. P. — *Quatre ou cinq sur quarante, c'est peu pour une tendance qui a réuni trente-cinq pour cent des mandats...*

M. S. — On ne peut établir un tel rapport. Il n'était plus question de « courants » mais seulement de personnes, de candidats.

D. P. — *La nuance, en politique, est souvent byzantine.*

M. S. — Pas du tout. D'ailleurs, personne ne s'est plaint et j'ai fixé au plus vite la première réunion du comité directeur et du secrétariat qui devait tracer les grandes lignes de notre activité, en application des décisions du congrès. En arrivant au siège pour cette réunion, j'ai trouvé une lettre : Serra démissionnait.

J'étais stupéfait. Comment pouvait-il donc commettre pareille bévue ? Qui l'empêchait de défendre ses idées, de maintenir et de développer sa tendance ? A l'extérieur, il n'y avait plus d'espace politique pour lui et j'étais persuadé que tous ses partisans ne le suivraient pas dans une aussi folle aventure.

Je suis resté trois semaines à l'étranger et quand je suis rentré, le 9 janvier, j'ai juste eu le temps de changer d'avion pour aller à Alvor négocier avec les mouvements nationalistes angolais. Des camarades sont venus me voir quelques instants à l'aéroport de Lisbonne. Ils étaient fébriles. « La scission de Serra a pris d'inquiétantes proportions, me dirent-ils. Les attaques fusent contre la direction du parti, traitée de social-démocrate et de réactionnaire. Les pressions sur la base sont de plus en plus fortes... »

La situation politique commençait en effet à se dégrader. La polémique s'envenimait avec les communistes à propos de la liberté syndicale[1]. Une campagne était orchestrée contre le P.S. par la presse, la télévision et les radios. L'objectif apparut bientôt plus clairement : on menaçait tout simplement de nous exclure du gouvernement. En cas de crise, murmuraient quelques grands « stratèges », il suffira de remplacer les « faux socialistes » de Soares par les « authentiques révolutionnaires » sortis, grâce à Serra, des ornières de la social-démocratie...

J'ai eu, dès lors, la conviction que l'affaire était menée de longue date par des sous-marins du parti communiste. C'est le cas, par exemple, de Magalhaes Carneiro et d'autres dont les noms ont peu à peu disparu. Serra n'était sans doute pas un sous-marin mais il travaillait en liaison avec des hommes de la cinquième division qui le poussaient à « en finir avec les légalistes du P.S. ».

D. P. — *Avez-vous des preuves ?*

M. S. — J'ai eu, beaucoup plus tard, certaines conversations avec des militaires qui ont été mêlés à l'opération et se sont ensuite rangés au côté des « neuf »[2].

1. Voir plus loin p. 101 et suiv.
2. Il s'agit de neuf membres du Conseil de la Révolution qui suivirent l'orientation dite « modérée » préconisée par le major Melo Antunes.

D. P. — *Qui sont-ils ?*

M. S. — L'Histoire le dira peut-être. Leurs confidences ont confirmé mes intuitions : le but était bien de détruire le parti socialiste de l'intérieur et le P.C., par l'intermédiaire de la cinquième division, dirigeait la manœuvre.

CHAPITRE VII

La grande famille

Dominique POUCHIN. — « *Je ne suis pas un social-démocrate* » : *c'est devenu un leitmotiv et vous ne manquez jamais une occasion, au Portugal du moins, pour vous défendre d'être un « Olaf Palme des bords du Tage ». Pourquoi tant d'obstination? La vérité ne s'impose-t-elle pas d'elle-même?*

Mario SOARES — Se dire social-démocrate au Portugal, c'était risquer l'anathème. Les communistes et les gauchistes ont tout fait pour donner au mot lui-même un sens abusivement péjoratif. La presse anglo-saxonne, de son côté, trompée par le P.C. qui veut le monopole du « label socialiste », a pris la mauvaise habitude d'étiqueter comme social-démocrate tout homme de gauche non communiste. Il a donc bien fallu expliquer à maintes reprises ce que nous sommes vraiment : non des sociaux-démocrates, chargés — comme on dit — de gérer loyalement les affaires du capitalisme, mais des partisans d'un socialisme démocratique. La voie social-démocrate ne peut répondre à nos problèmes spécifiques, portugais. Si j'étais Suédois, je voterais Olaf Palme. Mais je suis Portugais : je dois faire attention aux données sociologiques de la réalité portugaise et aux nuances du vocabulaire politique de mon pays. Cela dit, croyez-moi, ce n'est pas si terrible d'être social-démocrate, je crois même qu'il y a de bonnes raisons pour en être fier... Brandt, Wilson, Palme et d'autres sont nos « cousins » très proches : ensemble nous formons la grande famille du « socialisme en liberté ».

D. P. — *Où se trouve la différence entre socialisme démocratique et social-démocratie ?*

M. S. — Elle est parfois difficile à saisir car la frontière est imprécise. Elle tient essentiellement au contexte historique et à l'inévitable adaptation aux réalités nationales. La social-démocratie, de formation marxiste, est le terreau commun à tous les grands révolutionnaires du début de ce siècle — Lénine était l'un d'eux. L'évolution postérieure a répondu à l'extrême diversité des situations nationales : chaque branche de la famille a suivi son propre chemin.

Le socialisme portugais s'inspirait au XIXe siècle plus de Proudhon que de Marx et exerçait une influence réelle sur la classe ouvrière : leur base ouvrière distinguait les socialistes des républicains qui exprimaient les sentiments des masses populaires et de la petite-bourgeoisie urbaine et provinciale. Mais le parti socialiste ne considérait pas la question du régime comme essentielle et ses chefs, au début du XXe siècle, plus ou moins compromis avec la monarchie, lui ont fait perdre beaucoup de son prestige. Peu à peu, la classe ouvrière a été gagnée par l'anarcho-syndicalisme et, à partir des années trente, sous le fascisme salazariste, l'influence communiste est devenue prédominante. Quand nous avons nous-mêmes entrepris de jeter les bases d'un renouveau socialiste, notre projet était clairement de gagner la confiance de la classe ouvrière et des travailleurs en général, de plonger les racines du parti dans la réalité vivante du peuple.

Nous retrouvions la tradition commune aux diverses branches de la famille. Car par-delà les traits particuliers, les grandes formations de l'Internationale socialiste sont unies par le plus solide des liens : toutes sont enracinées dans la classe ouvrière. Le S.P.D. allemand serait-il au pouvoir si la classe ouvrière ne lui avait donné sa confiance et ses voix ?

D. P. — *Et cela suffit pour en faire un « parti ouvrier »?*
M. S. — Peut-être pas, mais ce n'est pas méprisable.

D. P. — *Le parti de Helmut Schmidt conduit-il l'Allemagne au socialisme?*
M. S. — A sa manière, oui. Car il faut tenir compte des difficultés que la social-démocratie allemande a dû affronter au cours de son histoire. Avant la guerre, le parti communiste, aux ordres de Moscou, l'a purement et simplement assimilée au fascisme. Résultat : sociaux-démocrates et communistes se sont retrouvés, côte à côte, dans les camps de concentration nazis. La paix revenue, l'Allemagne était détruite, humiliée, divisée. Aujourd'hui, c'est la nation la plus prospère d'Europe et la classe ouvrière a atteint un niveau de vie inégalé : le S.P.D. n'est pas pour rien dans cette formidable transformation pacifique.

D. P. — *Le pays serait-il donc à mi-chemin du socialisme?*
M. S. — Jusqu'à présent, leurs conquêtes ont apporté un grand bien-être aux travailleurs et ont, en même temps, consolidé le capitalisme, c'est exact.

D. P. — *Est-ce le rôle d'un parti ouvrier?*
M. S. — Son premier rôle est de résoudre les problèmes de la classe ouvrière.

D. P. — *En fortifiant le capitalisme ?*

M. S. — Le seul critère qui m'intéresse est de savoir si la politique mise en œuvre profite ou non aux travailleurs. Comment nier que la social-démocratie allemande est parvenue à améliorer, dans des proportions considérables, les conditions de vie des classes défavorisées ? La révolution n'est pas une entité métaphysique : c'est seulement un moyen de résoudre les problèmes concrets des hommes. On ne fait pas une révolution quand on réduit un pays à la misère : l'Albanie, pauvre et isolée du reste du monde a-t-elle profité de sa « révolution » ? Pour marcher vers l'égalité et répartir les biens, encore faut-il produire la richesse et l'on ne produit pas sans travailler. L'essentiel, dès lors, est d'organiser le travail de telle manière que la qualité de la vie s'en trouve modifiée. Voilà les questions qu'aborde la social-démocratie européenne. Elle ne les a pas résolues, sauf en Suède, peut-être, où des réponses sont déjà ébauchées, car la classe ouvrière y est étroitement associée au pouvoir...

D. P. — *Elle le partagerait donc ? Avec qui ?*

M. S. — Avec une minorité de grands bourgeois, des capitalistes qui, bien sûr, n'ont pas totalement disparu.

D. P. — *N'est-ce pas ce qu'on appelle communément la collaboration de classes ?*

M. S. — Non. La collaboration de classes implique l'idée de démission. L'évolution pacifique qui a eu lieu en Suède n'élimine pas la lutte des travailleurs : elle seule leur a permis d'arracher tous les droits dont ils jouissent aujourd'hui. Elle seule leur garantit d'en gagner d'autres.

D. P. — *Ferait-on ainsi l'économie d'une révolution en grignotant pas à pas le pouvoir d'une bourgeoisie qui se laisserait déposséder sans réagir ?*

M. S. — La dialectique nous apprend que des changements quantitatifs peuvent produire une mue qualitative :
l'eau qui chauffe sur le feu ne se transforme-t-elle pas en
vapeur quand elle atteint cent degrés? De même, les
réformes arrachées une à une à la classe dirigeante ont
permis aux Suédois de modifier les rapports sociaux. Les
privilèges de quelques-uns ont disparu pour le plus grand
profit de la collectivité.

Quelle est l'alternative? Une révolution violente, comme
celle de 1917, ce saut dans l'inconnu pour arriver au socialisme au prix d'énormes sacrifices payés par des générations? Une stratégie de rupture peut être nécessaire
dans un pays très retardé, un pays du tiers monde.
Mais ailleurs, elle ne pourrait que casser la machine
économique, paralyser le progrès, faire régresser le niveau
de vie. Certains partis communistes européens l'ont
compris et jugent désormais, comme nous, que l'amé-
lioration progressive des conditions de vie des travailleurs est la plus sûre des voies au socialisme car elle préserve un bien précieux et souvent chèrement acquis : la
liberté.

D. P. — *Pensez-vous que vos amis sociaux-démocrates allemands aient élargi, ou même simplement préservé, l'exercice des
libertés démocratiques?*

M. S. — J'avoue que certains faits me choquent. J'étais
en Allemagne quand a commencé le procès de la « bande
à Baader » et l'appareil policier mis en place à cette occasion — sans que rien, apparemment, ne justifie pareille
démonstration — m'a paru inquiétant. On dit que les
droits de la défense n'ont pas été totalement respectés et
si c'est vrai, cela ne peut qu'émouvoir l'avocat que je suis.
Mais on doit tenir compte du contexte allemand : la moi-
tié du pays appartient au bloc communiste et défendre la

liberté à l'Ouest, c'est aussi protéger l'État contre toute aventure qui menacerait l'ordre démocratique.

D. P. — *Vous avez lutté, au Portugal, pour la liberté d'expression et le pluralisme dans la presse que vous estimiez menacés par les communistes. Croyez-vous qu'en Allemagne l'information soit véritablement libre ? Les puissances d'argent qui contrôlent l'énorme majorité des « titres » ne tentent-elles pas, elles aussi, de manipuler l'opinion ?*

M. S. — L'amalgame est impossible. Au Portugal, la manipulation de la presse par le P.C. visait tout simplement à préparer les conditions d'un coup d'État. Les communistes se sont mis au goût du jour : ils ont compris que pour accaparer l'État, il est plus important de dominer les mass media que de provoquer de difficiles mouvements de masse. Leurs militants se sont donc infiltrés dans les journaux « bourgeois », « capitalistes », et, sous le fascisme, ont avalé toutes sortes de couleuvres pour rester en place : il n'était pas rare alors de voir un communiste qui cachait bien son identité politique écrire des dithyrambes sur un dignitaire du régime. Le jour venu, la tactique devait payer en s'insérant dans un plan d'assaut du pouvoir. Un plan qui a failli se réaliser...

Tout autre est la situation de la presse occidentale — et pas seulement allemande — livrée à l'influence des puissances d'argent car dans tous ces pays il est possible de créer des journaux indépendants qui contestent le système et parviennent même à l'affaiblir : Watergate n'aurait pas existé, Richard Nixon n'aurait pas démissionné sans l'intervention courageuse du *Washington Post*. La pression des puissances financières est réelle mais elle a des limites. Des limites qui n'existent pas dans une société totalitaire, qu'elle soit fasciste ou communiste, où l'information n'est plus que propagande.

D. P. — *N'êtes-vous pas, en fin de compte, plus proche de Brandt que de Mitterrand?*

M. S. — L'histoire de ces dernières années m'a mis, il est vrai, plus en contact avec l'ex-chancelier qu'avec le leader des socialistes français. Cela d'un point de vue purement personnel qui s'explique facilement quand on sait à quel point le S.P.D. nous a soutenus dans notre lutte antifasciste : c'est en Allemagne que nous avons fondé notre parti et réuni son premier congrès. Nos amis allemands n'ont jamais épargné leurs efforts pour nous aider à la mesure de leurs moyens qui sont incontestablement plus grands que ceux des socialistes français. Quand nous étions en exil, le P.S. de Mitterrand qui faisait ses premiers pas dans la voie du renouveau n'avait pas les possibilités de nous fournir un appui substantiel même s'il a souvent exprimé sa solidarité et organisé, à Paris — par exemple — un grand meeting auquel j'ai pu participer.

Cela dit, les conditions sociologiques et les contingences de la lutte politique au Portugal nous rendent beaucoup plus proches des socialistes français. En Allemagne, le parti communiste n'a pas d'expression politique. Nous devons, au contraire, compter avec la présence d'un P.C. dont l'influence est réelle sur la classe ouvrière : il est donc naturel que notre ligne s'apparente plus à celle des Français, puisqu'elle reflète la même problématique d'alliance, la même volonté d'unir les forces de gauche. Si nous n'en sommes pas, à Lisbonne, au « programme commun », la faute en incombe uniquement aux communistes qui ont repoussé toutes nos anciennes invitations à progresser dans ce sens.

D. P. — *« M. Soares affirme que la social-démocratie est impossible au Portugal. Pourtant sa politique est purement social-démocrate. » : C'est une « pique » de M. Sá Carneiro, secré-*

taire général du P.P.D. Il vous reproche de manquer de franchise et laisse entendre que vous seriez un « social-démocrate honteux »...

M. S. — Sá Carneiro a dû oublier ce qu'il disait quand il « faisait la cour » à Olaf Palme et Helmut Schmidt pour solliciter l'entrée du P.P.D. dans l'Internationale socialiste. A cette époque, il jurait à qui voulait l'entendre que le P.S. portugais était le plus à gauche de tous les partis socialistes occidentaux, qu'il était marxiste et jouait le jeu avec les communistes...

Pour répondre plus à fond, je dois dire que je n'éprouverais nulle honte à être social-démocrate mais je ne le suis pas parce que ce qui est bon à Londres, à Bonn ou à Stockholm ne l'est pas nécessairement à Lisbonne. Notre capitalisme, arriéré et parasitaire, nourri par le colonialisme et préservé par une dictature, n'a pas produit, en son sein, de véritables forces susceptibles d'être associées aux grandes transformations qui sont aujourd'hui nécessaires par l'effet même des grandes réformes entreprises. Nous sommes donc obligés de « sauter des marches dans l'escalier », ce qui nous met dans une situation bien différente de celle qui résulte de la démarche mesurée et graduelle de la social-démocratie traditionnelle.

D. P. — *Vous vous êtes pourtant plaint que la révolution allait trop vite.*

M. S. — Pour la sauver, précisément. L'accélération incontrôlée du processus rendait notre révolution chaque jour plus fragile. Il fallait ralentir pour consolider les acquis et élargir la base sociale qui commençait à nous échapper. Nous avons connu et heureusement maîtrisé les dangers que l'unité populaire chilienne n'a pas su conjurer : les débordements gauchistes ont amené Pinochet au pouvoir. Nous avons su apprendre la leçon.

D. P. — *Mais pensez-vous avoir détruit le capitalisme?*

M. S. — Nous l'avons désarticulé en brisant les monopoles industriels et financiers. Le Portugal reste, bien sûr, un pays capitaliste où l'entreprise privée a encore droit de cité. Je crois même que le secteur public et nationalisé est aujourd'hui trop important pour pouvoir fonctionner immédiatement selon des critères de rentabilité convenables. Mais il sera possible d'aller au socialisme en multipliant les exemples d'économie mixte. Si on détruit toute propriété, si on supprime toute initiative privée, on aura peut-être une révolution mais la machine économique sera irrémédiablement cassée. Nous sommes allés trop vite et nous devrons payer notre imprudence : certaines mesures prises au nom de la réforme agraire ont désorganisé et affaibli la production; des banques qui, en 1974, donnaient d'énormes bénéfices sont maintenant, après nationalisation, dans une situation déficitaire; des usines de première importance, comme la Lisnave[1], traversent une crise qui peut être fatale...

D. P. — *N'y a-t-il pas quelques raisons précises — et non avouables — aux difficultés de la Lisnave? On a parlé d'un boycott résolu de l'étranger, et notamment des pays où la social-démocratie est au pouvoir.*

M. S. — Je ne nie pas qu'il y ait eu certaines formes de blocage. Mais, à la vérité, cela prouve bien qu'on ne peut jouer sur deux tableaux à la fois : injurier quotidiennement la social-démocratie européenne et tendre discrètement la main pour qu'elle vous aide. Il faut être conséquent. Nous avons eu un comportement enfantin vis-à-vis d'un environnement étranger, capitaliste, qui regardait d'un œil méfiant les tribulations de notre révolution : nous avons, trop souvent, « chatouillé le lion »...

1. Chantiers navals de Lisbonne.

D. P. — ... *au lieu de le caresser?*

M. S. — Non, au lieu de savoir tout simplement que c'est un lion, qu'il rugit et peut mordre.

D. P. — *Par quels gestes, par quelles initiatives le parti socialiste portugais a-t-il montré, depuis le 25 avril 1974, qu'il n'était pas social-démocrate mais luttait pour une authentique révolution socialiste?*

M. S. — N'avons-nous pas encouragé la politique de nationalisation?

D. P. — *De Gaulle aussi, en son temps. Il n'en est pas, pour autant, devenu révolutionnaire.*

M. S. — Détrompez-vous. Par bien des aspects, ce fut un révolutionnaire.

D. P. — *N'avez-vous pas déploré l'ampleur des nationalisations?*

M. S. — Il y en a eu trop, c'est certain, et elles n'ont pas toujours été réalisées au moment le plus propice pour que l'on en mesure, froidement, toutes les conséquences. Ainsi, dans la précipitation qui a suivi la crise du 11 mars[1], nous avons nationalisé l'ensemble du secteur bancaire sans prévoir les possibles répercussions dans nos colonies qui se préparaient à l'indépendance. Leur réaction n'a pas tardé : les mouvements nationalistes pouvaient parfaitement admettre la présence de capitaux privés mais s'inquiétaient, à juste titre, d'une mainmise de l'État portugais sur l'économie de leur pays. Nous avions pourtant longuement débattu de cette question et conclu à l'inopportunité d'une telle mesure mais le 11 mars est venu bouleverser les plans. Mon parti n'en a pas moins soutenu l'élan qui était pris. N'est-ce pas une attitude révolutionnaire?

1. Voir chapitre suivant.

96

D. P. — *Et au-delà des nationalisations?*

M. S. — Nous avons favorisé la gestion démocratique des entreprises par les travailleurs, impulsé des expériences d'autogestion encore embryonnaires, encouragé toutes les formes de démocratie directe à condition qu'elles ne prétendent pas créer un pouvoir parallèle, menaçant l'appareil démocratique et représentatif de l'État. Ce sont là des pas décisifs dans le chemin vers le socialisme.

D. P. — *Vous vous êtes pourtant farouchement opposés à la tentative de définir les cadres d'un « pouvoir populaire », esquissée dans un « document-guide » par l'assemblée du M.F.A.* [1]. *Votre hostilité au projet a même, en partie, motivé votre démission du gouvernement, le 10 juillet 1974, au terme de la crise de* República [2]. *N'avez-vous pas alors révélé votre hantise de voir le Portugal s'écarter des sentiers battus de la démocratie parlementaire classique?*

M. S. — Mais il n'existait pas, au Portugal, de « démocratie parlementaire classique », sinon je m'en serais félicité. Nous vivions, en fait, sous un régime pré-démocratique. Cela dit, il est vrai que nous n'avons jamais accepté la voie que préconisait l'assemblée du M.F.A. Nous l'avons dit très fort et quelques militaires ont alors assuré que le document élaboré n'avait rien de définitif mais visait seulement à amorcer une réflexion, ajoutant qu'après tout cette « assemblée nationale populaire » ne verrait pas le jour avant dix ou quinze ans. Il fallait cependant réagir et nous avons eu raison de tirer le signal d'alarme.

1. Le 8 juillet 1974, l'assemblée du M.F.A. — sorte de « parlement militaire » — publiait un document qui proposait, sans fixer d'échéances précises, d'institutionnaliser les « organes populaires de base » (commissions de travailleurs et d'habitants) aux échelons locaux et régionaux et de coiffer la pyramide par une « assemblée nationale populaire ».

2. Voir chapitres XI et XII.

Il est des formes de « pouvoir populaire » qui me paraissent raisonnables et même souhaitables : il faut stimuler l'initiative de la base dans tous les domaines de la vie sociale, à l'usine, dans les champs et les quartiers. Mais on ne peut tolérer qu'à travers une manipulation politique et des votes à main levée, de soi-disant « commissions populaires » s'organisent pour concurrencer et détruire la structure démocratique et légale de l'État en façonnant une sorte de « double-pouvoir ».

D. P. — *Est-il possible de faire coexister les institutions héritées du « vieux monde » et les cadres naissants d'une nouvelle société ?*

M. S. — La démocratie politique n'appartient pas au « vieux monde » : elle représente un stade définitif dans le progrès de l'humanité, une organisation des rapports entre les hommes aussi valable pour un État socialiste que pour une société bourgeoise. Les élections ne sont pas une vieillerie. Les régimes communistes eux-mêmes se sentent obligés de faire élire des assemblées, des diètes et un Soviet suprême. C'est une parodie de démocratie, un pari sans le moindre enjeu. Mais s'ils sacrifient au rituel, c'est qu'ils croient nécessaire de respecter au moins les apparences : ils paient ainsi leur « tribut » à la démocratie politique. Imaginer que l'on peut s'en passer reviendrait à dire qu'un enfant n'a plus besoin d'apprendre à lire puisque l'audio-visuel existe. Idée stupide : la lecture est indispensable pour développer l'intelligence des hommes. La démocratie aussi.

D. P. — *Pensez-vous donc qu'élire des gens tous les quatre ou cinq ans — sans pouvoir contrôler, au moment des décisions essentielles, ce qu'ils font du mandat qui leur est confié et sans pouvoir les révoquer s'ils ne répondent pas à ce qu'on atten-*

dait d'eux — soit un exercice très large, suffisant, de la démocratie ?

M. S. — On ne peut remettre en cause le principe de la représentativité. Il y aura toujours des hommes qui prendront des décisions pour d'autres car il est impossible de consulter tout le monde à chaque instant. Bafouer ce principe, c'est revenir au totalitarisme. Mais il est vrai que le vote ne suffit pas à assurer une vraie démocratie. Il existe déjà d'autres formes de participation : pensez au poids de la presse, à l'animation de la vie locale, municipale ou régionale... On doit aller plus loin, imaginer, créer de nouveaux centres de participation et les harmoniser aux différents échelons de nos institutions.

D. P. — *Quelle serait, concrètement, la fonction des commissions de base ? Quels pouvoirs auraient-elles ?*

M. S. — Elles servent à stimuler l'élan des masses, à donner l'initiative à tous ceux qui veulent être associés aux grandes transformations politiques et sociales de la révolution.

D. P. — *Prenons l'exemple d'une* commission de mora-dores [1] : *comment s'exerce son pouvoir ?*

M. S. — Elle peut discuter des problèmes qui concernent la population du quartier, analyser les difficultés qu'elle affronte et faire pression sur les autorités locales. Car, là encore, il faut bien distinguer le pouvoir légalement institué et les organes de participation. Dans un quartier de vingt mille résidents, l'autorité, élue démocratiquement, est souveraine. La *commission de moradores* et sa trentaine d'activistes sont là pour maintenir une pression populaire, pousser à la réalisation des promesses, mobiliser

1. Commission d'habitants.

le peuple s'il le faut. Voilà une façon de concilier, au niveau local, l'initiative spontanée des masses, la démocratie de base et la volonté librement exprimée des citoyens, la démocratie représentative. L'articulation entre les deux formes de pouvoirs garantit le progrès socialiste et le respect des libertés.

D. P. — « Dans une société capitaliste, les élections sont un jeu où les dés sont pipés du fait de l'influence de l'idéologie dominante qui, disait Marx, est celle de la classe dominante. » C'est une critique que vous connaissez bien. Vous paraît-elle injustifiée, dépassée ?

M. S. — On ne saurait tout expliquer par les « recettes » de la lutte des classes. Je suis marxiste et je n'ai pas l'intention de nier son existence mais elle ne suffit pas pour tout comprendre. La volonté des hommes est souvent très imprévisible : leurs qualités, leurs faiblesses et leurs audaces jouent un rôle déterminant dans leur comportement et leurs choix. Le marxisme nous aide à maîtriser l'histoire mais l'expérience de ces deux dernières années m'a appris à croire aussi, un peu plus qu'autrefois, au rôle du nez de Cléopâtre.

CHAPITRE VIII

Drôle de drame

Dominique POUCHIN. — *Janvier 1975. C'est le mois de la rupture. Les deux grands partis de gauche, qui n'ont jamais été vraiment unis, commencent à s'entre-déchirer. Une pomme de discorde : le syndicat unique. Un enjeu : le « contrôle » de la classe ouvrière. Un faux arbitre : le Mouvement des forces armées...*

Mario SOARES. — La façade d'unité, aux premiers jours d'une liberté toute neuve et d'une révolution fleurie d'œillets, s'était vite lézardée. Car le P.C. avait déjà montré les dents et révélé ses prétentions hégémoniques : l'affrontement initial s'était déroulé autour du sort qui devait être réservé au M.D.P.-C.D.E. [1]. Structure unitaire de l'opposition démocratique au fascisme, le M.D.P. était, à notre sens, appelé à disparaître puisque la légalisation des partis rendait son existence superflue, voire trompeuse. Mais les communistes, majoritaires à la direction du mouvement, désiraient le maintenir en vie, sous prétexte qu'il pouvait accueillir de nombreux antifascistes qui ne s'estimaient pas assez informés, politisés, pour choisir un parti ou

1. Mouvement démocratique portugais-Commission démocratique électorale.

refusaient simplement d'y être contraints pour œuvrer en faveur de la révolution.

En fait, après que nos militants l'eurent quitté, le M.D.P. est devenu une « succursale » communiste, un « P.C. *bis* », un mouvement fantoche, dont la seule raison d'être était de prendre aux socialistes les voix de ceux qui avaient encore peur de voter communiste. L'affaire a fait peu de bruit à l'étranger mais elle présageait bien de la duplicité du P.C., de l'hypocrisie de ses discours unitaires.

La vraie bataille s'est en effet ouverte, quelques semaines plus tard, quand Cunhal et ses amis ont prétendu imposer leurs conceptions sur l'organisation de la vie syndicale. Nous nous sommes rebellés contre l'idée du syndicat unique qu'ils voulaient voir consacrée par la loi : les laisser faire revenait à leur livrer, sans coup férir, un contrôle bureaucratique sur les travailleurs. Nous ne sommes pas des diviseurs mais nous pensons que l'unité de la classe ouvrière doit résulter exclusivement de sa volonté librement exprimée et non pas être dictée d'en haut, encore moins codifiée par l'État.

A travers cette opération, les communistes ont expérimenté leur tactique manipulatrice à l'égard du M.F.A. : il s'agissait de convaincre des officiers, un peu néophytes dans ce genre de débat, que la classe ouvrière et le P.C. ne faisaient qu'un, que les travailleurs ne connaissaient qu'une avant-garde : le P.C. et nulle autre.

D. P. — *N'y avait-il pas une autre façon de mener la bataille ? Pourquoi ne pas accepter le principe de l'unicité syndicale comme garant de l'unité des travailleurs, obstacle aux tentatives divisionnistes, mais se battre pas à pas pour imposer le respect de la démocratie interne au syndicat et réclamer — comme l'ont fait nombre de militants socialistes — le droit de s'organiser en ten-*

dances distinctes? L'existence d'une seule grande centrale syndicale annonce-t-elle forcément l'instauration d'un régime de parti unique?

M. S. — Mais pourquoi dix métallurgistes, ou dix milliers, qui ne se trouvent pas bien dans leur syndicat, n'auraient-ils pas le droit d'en créer un autre à côté? Dans les syndicats dominés par les communistes, la démocratie interne est tellement bafouée que les conflits entre travailleurs sont plus graves et plus néfastes que s'il existait deux ou plusieurs centrales. C'est l'une des raisons qui nous ont poussés à engager la polémique, d'abord au sein du gouvernement, puis, comme cela ne suffisait pas, devant le peuple tout entier. Zenha à écrit un article-brûlot dans le *Diario de Noticias* qui a déclenché une riposte immédiate du P.C. : campagne de presse, manifestations, pétitions... rien ne manquait pour écraser « Zenha l'hérétique » et soutenir le ministre du Travail, un militaire gagné à la cause de l'unicité.

C'est alors que nous avons organisé un grand meeting du parti socialiste à Lisbonne. Soirée mémorable; nous avons démonté le mécanisme de l'opération et dénoncé l'intoxication des communistes. Des masses de travailleurs qui avaient été trompés ont alors ouvert les yeux et réagi contre cette Intersyndicale [1] bureaucratique que l'on voulait leur imposer. Cette vague de fond a provoqué un certain recul au sein du M.F.A. : des responsables militaires ont compris qu'ils avaient été manipulés, mais craignant sans doute de perdre la face, n'ont pas totalement remis en cause leur soutien aux positions du P.C. Le principe de l'unicité syndicale a été consacré, assorti de garanties pour la démocratie interne qui ne furent respectées qu'au prix de dures batailles. Il faudra

1. Nom de la confédération syndicale unique.

attendre que l'assemblée constituante étudie la question pour qu'enfin la liberté syndicale soit reconnue comme droit fondamental. En attendant, les communistes avaient marqué des points...

D. P. — ...*que vous aviez perdus; et ce n'étaient pas les derniers. Car la controverse syndicale s'est à peine estompée quand survient le 11 mars, ce « drôle de drame ». Premier « coup d'État » jamais tenté alors que le soleil brille au zénith de midi. Deux avions démodés apparaissent dans le ciel de Lisbonne et vont bombarder le RALIS[1], sentinelle des accès Nord de la capitale. Des parachutistes encerclent la caserne au milieu d'une foule de curieux et d'ouvriers mobilisés. Deux heures plus tard, tout est fini; paras et fantassins s'embrassent et fraternisent. Mais à cent kilomètres de là, un hélicoptère quitte la base aérienne de Tancos : à son bord, le « général-monocle », Antonio de Spinola, vaincu ou piégé, prend le chemin de l'exil. Et soudain, la révolution s'emballe...*

M. S. — J'étais dans mon bureau, au ministère des Affaires étrangères. Le gouvernement s'était réuni le matin mais j'avais dû laisser le Conseil pour signer un traité commercial avec la Suède. Vers onze heures, mes collaborateurs m'ont rapporté les rumeurs qui couraient dans la ville. Cela ne m'a pas ému : depuis des mois les *boatos*[2] faisaient partie de notre vie quotidienne.

Je recevais un journaliste quand on m'a interrompu pour me prévenir qu'il se passait des choses étranges. J'ai voulu téléphoner au Premier ministre mais je n'ai pu le joindre. Au ministère régnait une certaine effervescence, vu les nouvelles contradictoires qui parvenaient sans cesse. Des fonctionnaires me pressaient de sortir au plus

1. Régiment d'artillerie légère de Lisbonne.
2. Rumeurs, en portugais.

vite. J'étais indécis quand Zenha, Rui Vilar[1] et Maria Lourdes Pintassilgo[2] sont arrivés, parfaitement calmes : « La réunion du Conseil est suspendue, me dirent-ils, le Premier ministre est parti. Il paraît que la situation est anormale, que le RALIS est attaqué, bombardé peut-être. » On n'en savait guère plus.

J'étais, ce jour-là, indisposé par une sinusite : je suis donc allé consulter un ami médecin avant d'aller déjeuner chez moi.

D. P. — *Aller se faire soigner les sinus en plein coup d'État, cela ne vous paraît pas bizarre?*

M. S. — Mais que pouvais-je faire d'autre? Tout était calme à Lisbonne. Je n'ai pas entendu les grenades lancées sur le RALIS. Je n'ai rien vu sauf peut-être quelques hélicoptères survolant la ville à basse altitude. Tous les ministres ont fait comme moi, se sont occupés de leurs affaires en attendant de plus amples informations. Sauf Cunhal, peut-être...

J'ai bien sûr pris contact avec le siège du parti mais, là non plus, on ne savait rien. Si j'avais su alors ce que cette petite chose, ce « drôle de drame » allait déclencher, je me serais agité davantage mais comme j'étais complètement en dehors du coup, l'événement m'a semblé insignifiant. Je n'ai donc rien changé à mes habitudes, en attendant.

D. P. — *Sûrement pas ce qui est arrivé. Car, au soir du 11 mars, tout se précipite : une assemblée de militaires, convoquée en hâte, décide d'imposer une institutionnalisation du M.F.A. que vous espériez négocier âprement et elle crée un Conseil de la Révolution que vous refusiez de voir naître quand, aux*

1. Ministre de l'Économie du troisième gouvernement provisoire.
2. Ministre des Affaires sociales.

lendemains du 28 septembre, certains en parlaient déjà. Double revers. Et pour finir, ce même soir, vous êtes presque contraints de participer, au coude à coude avec les communistes, à une grande manifestation : vous y allez... à reculons.

M. S. — Il était difficile, à chaud, de maîtriser toutes les données de la situation. Bien des éléments nous paraissaient troubles mais, tout de même, la fuite empressée de Spinola permettait de penser qu'il y avait eu manœuvre d'une certaine droite. Le comité directeur du parti a donc décidé d'appeler à la manifestation : nous avons seulement discuté de ma participation en tant que secrétaire général car nous ne voulions pas donner une importance excessive à ce défilé. Finalement j'y suis allé et, à mon grand étonnement, Cunhal n'était pas là.

D. P. — *Pourquoi cette réticence devant la manifestation ? Doutiez-vous, dès ce moment, de la réalité d'un putsch avorté de la droite ?*

M. S. — On s'interrogeait mais il nous fallait surtout couper court à une opération des communistes qui, profitant de l'aubaine, auraient bien voulu nous pousser vers la droite, nous marginaliser avant de nous éliminer. Par la suite, les faits se sont éclaircis et leur interprétation est devenue plus aisée : des officiers ont sans doute préparé un « coup », non pour rétablir le fascisme mais pour ralentir le processus révolutionnaire et, si possible, faire un peu marche arrière.

Les militaires que l'on a impliqués dans l'affaire connaissaient trop leur métier pour se lancer dans une aventure si mal manigancée. La fuite de Spinola est aussi très curieuse : installé à Tancos, il a eu d'importantes conversations téléphoniques avec quelques gens haut placés, notamment le président de la République. Était-il impossible de l'arrêter avant de le laisser s'envoler tranquillement? Je m'étonne qu'il n'ait jamais livré son vrai récit du 11 mars. Il a peut-être été intoxiqué : on lui a raconté qu'une tuerie se préparait pour Pâques. Qu'a-t-il fait alors? Je ne sais.

La fin de l'histoire est limpide : comme le 28 septembre, plus même, on a gonflé le « péril fasciste » pour charger quelques charrettes d'adversaires encombrants. La cinquième division, aux ordres du P.C.P., a mis son arsenal de conspirateurs en branle et la fraction des militaires pro-communistes s'est solidement installée à la tête du M.F.A., balayant les résultats des élections dans les différentes armes qui, les semaines précédentes, avaient donné une majorité aux officiers démocrates. L'étape suivante, très logiquement, consistait à nous « mouiller » avec les « comploteurs fascistes ». Ils ont essayé...

D. P. — *N'est-il pas vrai que certains de vos amis avaient rencontré Spinola depuis sa démission, le 30 septembre?*

M. S. — On a voulu bâtir un véritable scénario sur cette accusation ridicule. Que des socialistes aient vu Spinola est une hypothèse qu'on ne peut pas exclure *a priori,* étant donné qu'il recevait beaucoup de gens dans sa retraite de Massamá. Mais il n'y a jamais eu de « discussions » entre des « émissaires » du P.S. et le général. En tout cas, pas moi : je ne l'ai jamais rencontré après qu'il eut abandonné la présidence de la République. C'est pourtant l'idée que les communistes ont répandue pour nous briser les reins : ils espéraient que nos bases se révolteraient contre une « direction traître ». Ainsi, ils n'auraient plus, en face d'eux, qu'un parti domestiqué, docile auquel ils pourraient s'associer avant de l'avaler : processus classique mis à l'épreuve dans les pays de l'Est où il s'était révélé très efficace.

Avante, l'hebdomadaire du P.C., a reproduit une dépêche

de l'agence officielle espagnole E.F.E. (fasciste) qui prétendait que j'avais eu des rapports avec Spinola avant le 11 mars : le tour était joué. Mal joué, cependant, car ils n'avaient pas la moindre preuve. Et pour cause... Mais l'affaire n'en est pas restée là. Un jour, le général Vasco Gonçalves[1], visiblement gêné, m'a prévenu que la commission d'enquête sur le 11 mars désirait m'entendre et m'a demandé d'accéder à sa requête. J'ai fait valoir mon titre de ministre et les prérogatives qui en découlaient, acceptant de répondre aux questions de la commission à condition qu'elle se déplace elle-même. Le Premier ministre, de plus en plus embarrassé m'a proposé que cette « conversation » se déroule discrètement dans son propre cabinet où il convoquerait les enquêteurs. La formule était bonne, j'ai accepté.

Deux des trois militaires membres de la commission ne savaient trop comment m'aborder mais le dernier semblait très décidé à me faire parler. Il n'avait aucune formation juridique et a commencé un interrogatoire oral. J'ai exigé que l'on dresse un procès-verbal en bonne et due forme avant de répondre. « L'acte d'accusation », grotesque, tenait en trois points : tout d'abord un article du *Canard enchaîné* qui, se faisant l'écho de bruits inconsistants, évoquait des tractations passées entre des socialistes et Spinola. La riposte était toute trouvée puisque le même article insinuait que le Premier ministre était membre du parti communiste : je le leur ai dit, en présence du Premier ministre, et ils n'ont pas insisté.

Deuxième « pièce du dossier » : on m'accusait d'avoir reçu, le jour même du « putsch », un coup de téléphone d'un officier de la police, le major Casanova Ferreira, emprisonné depuis. J'ai fait noter ma surprise devant le fait que

1. Premier ministre des deuxième, troisième, quatrième et cinquième gouvernements provisoires.

des communications privées puissent être connues de l'extérieur puis je leur ai fait remarquer qu'à l'heure où j'étais censé avoir reçu ce coup de fil, je signais le traité commercial avec la Suède devant les caméras de la télévision.

Enfin, on m'a reproché d'avoir eu, le 11 mars, deux gardiens à la porte de mon domicile au lieu d'un en temps normal...

C'étaient leurs seuls indices pour me tremper dans un complot. Peu de temps après, le rapport sur la « grande conspiration contre-révolutionnaire » a été publié et, malgré quelques timides insinuations, a seulement révélé que la montagne avait accouché d'une souris.

D. P. — *Mais le 11 mars avait accouché d'un M.F.A. qui vous a fait trembler.*

M. S. — Les militaires ont proposé aux partis la signature d'une « plate-forme d'accord constitutionnel », pacte qui limitait l'exercice de la démocratie politique et la portée du suffrage universel. Nous l'avons cependant signé car nous avons compris que c'était la condition *sine qua non* pour que les élections se déroulent normalement. Or, devant les bouleversements économiques en cours, face à l'effondrement de l'État qui se préparait, nous avions avant tout besoin des élections, besoin de les gagner. Sachant que la politique est l'art du possible, nous avons passé avec le M.F.A. un accord qui avait le mérite de préserver l'avenir. Aujourd'hui on comprend que nous avons bien fait.

D. P. — *Vous avez pourtant dû céder sur un point essentiel : la création du Conseil de la Révolution.*

M. S. — Nous n'avions pas le choix. Eux, avaient la force pour l'imposer. Mais nous avons su négocier avec le Conseil, très rapidement, pour qu'il n'écarte pas le pays des chemins de la démocratie. Nous ne voulions pas d'expérience péruvienne au Portugal : nous avons donc, là

encore, transigé sans rien renier de nos convictions pro-
fondes. Notre souplesse, à ce moment, a permis au pays
d'éviter de plus grands sacrifices et de parvenir ainsi plus
rapidement à une véritable démocratie.

D. P. — *L'épilogue provisoire du 11 mars tient dans un curieux
paradoxe : vous avez, très vite, rencontré les dirigeants du parti
communiste que vous chargiez alors — sans le dire trop publiquement — des plus noirs desseins. Thème des conversations : « Les
perspectives ouvertes au processus démocratique. » Était-ce seulement pour la galerie ?*

M. S. — Je n'ai jamais renoncé au dialogue avec le P.C.
malgré toutes les préventions que j'ai contre lui. C'est une
position de principe. Mais au lendemain du 11 mars, il
était encore plus nécessaire de le faire pour bien montrer
la malveillance des critiques dont nous étions l'objet. Le
P. C. pouvait difficilement continuer ses attaques et ses
insinuations après s'être assis à la même table que nous :
qui aurait compris qu'il accepte de discuter avec des
« conspirateurs complices de Spinola »?

Nous avons fait ensemble un tableau de la situation et
étudié le contentieux qui nous opposait dans la quasi-
totalité des secteurs. Les négociations devaient se prolonger
mais c'est resté du domaine des intentions. En fait, la direction du P.C. montrait de plus en plus clairement son vrai
visage : celui d'un parti qui a horreur de la démocratie et
vit dans un état de conspiration permanente pour prendre
le pouvoir; sans cesse en train de préparer des « coups
fourrés » dans tous les sens : dans les syndicats, les
journaux, les ministères, l'armée... Peu lui importe alors
la volonté du peuple portugais : il avance méthodique-
ment ses pions, un à un jusqu'à la veille de l'assaut final.
Il aurait pu être un grand parti de masse mais n'était plus
finalement qu'un clan fermé de conspirateurs.

CHAPITRE IX

La voix des urnes

Dominique POUCHIN. — *Un an, jour pour jour, après le soulèvement libérateur des capitaines, le Portugal élit ses députés à l'Assemblée constituante : voilà l'heure que vous attendiez tant, sûr qu'elle serait celle de la revanche. Le soir, dans les salons de la fondation Gulbenkian — où mille journalistes venus du monde entier auscultent des résultats sans surprise — vous savourez votre victoire et l'échec des communistes. En privé, vous ne manquez pas, de plus, de faire remarquer que ce second 25 avril est un coup dur pour ceux qui ont fait le premier : serait-ce donc déjà le début de la fin du M.F.A. ?*

Mario SOARES. — De ce jour, reste d'abord gravée dans ma mémoire l'image des queues interminables devant les bureaux de vote. Dès six heures du matin, du Minho à l'Algarve, ouvriers et paysans, boutiquiers et artisans attendaient par milliers, dans un ordre impressionnant, le moment d'exercer ce droit qu'ils n'avaient jamais eu : voter pour choisir leur destin. Plébiscite en faveur de la démocratie que nul n'aurait voulu manquer : au Nord, le paysan a quelquefois marché des heures pour venir du hameau à l'école; et ces vieillards aux mains tremblantes qui glissaient, pour la première fois de leur vie, un bulletin dans une urne, fiers d'enterrer en un instant quarante-huit ans

111

de dictature fasciste; et encore ces malades, transportés en ambulance, qui ont voté sous l'œil inquiet d'une infirmière... C'est tout un peuple qui, ce jour-là, a témoigné de son civisme et de son enthousiasme.

Comment ne pas penser à ceux qui ont lutté, au cours de cinq longues décennies, pour que cette heure arrive. Aux démocrates, républicains, catholiques, socialistes et communistes qui ont donné leur vie pour cette liberté qu'ils n'auront pas connue. Ces urnes dans tout le pays, ces files graves et silencieuses aux portes des mairies, étaient le fruit de leur combat, la raison d'être d'un espoir jamais éteint. L'opposition antifasciste n'avait cessé de réclamer des élections libres : son but était enfin atteint mais les communistes, rangeant leur discours démocratique de la résistance dans un fond de tiroir, se sont efforcés d'empêcher cette première consultation du peuple.

D. P. — *Quelles preuves avez-vous pour avancer pareille accusation?*

M. S. — Une avalanche de textes, communiqués, déclarations de toutes les structures du parti, de la cellule au comité central : le Portugal n'était soi-disant pas encore prêt pour franchir un tel pas, « pas assez mûr pour la démocratie »; les élections étaient « inopportunes », mieux valait donc les ajourner; ils prétendaient que dans certaines régions, les conditions n'étaient pas réunies pour garantir une consultation réellement démocratique.

D. P. — *Avaient-ils vraiment tort sur ce point? Les chances, au départ, étaient-elles égales pour tous dans l'ensemble du pays? Les « caciques », ces notables locaux piliers de l'ancien régime, n'ont-ils pas, en maints villages, « inspiré » le vote d'une population souvent mal informée, touchée par l'analphabétisme et marquée par un demi-siècle d'anticommunisme officiel?*

M. S. — Les élections ont été parfaitement régulières du Nord au Sud du pays : personne n'a pu le contester. Le Portugal a mérité ainsi l'admiration du monde entier. Je ne nie pas qu'il y ait eu, çà et là, des gens plus ou moins ignorants de l'enjeu et, de ce fait, sensibles à l'influence d'un *doutor*[1] de canton. Mais ne trouve-t-on pas autant d'exemples du même type dans des pays aux traditions démocratiques solidement ancrées? N'y a-t-il donc aucun montagnard corse, aucun paysan vendéen dont le vote n'ait été, une fois, « inspiré » par un coq de village?

D. P. — *Admettez-vous qu'un demi-siècle de fascisme, c'est aussi cinquante années d'obscurantisme?*
M. S. — Bien sûr.

D. P. — *Cela peut-il s'effacer en un an, jour pour jour?*
M. S. — Le peuple portugais a une vieille tradition culturelle. Malgré un taux énorme d'analphabètes — plus de trente pour cent — il sait très bien ce qu'il veut : sa conscience politique est élevée, à tel point d'ailleurs que le fascisme n'est jamais véritablement parvenu à pénétrer le cœur de la population. La puissance de l'appareil idéologique, l'information dirigée, le bourrage de crâne systématique, n'ont pas suffi à donner une assise populaire au régime de Salazar et de Caetano. Le rejet de la propagande communiste est une preuve supplémentaire de cette conscience hostile aux totalitarismes.

D. P. — *Était-elle, pour autant, à même de distinguer les uns des autres les douze partis qui briguaient ses suffrages?*
M. S. — Dans les grandes lignes, sans le moindre doute :

---

1. Docteur : se dit, au Portugal, de toute personne titulaire d'une licence universitaire.

l'électeur moyen n'a pas confondu le P.P.D. et le C.D.S. [1] alors que c'était parfois difficile. Il a bien mesuré ce qui sépare le P.P.D. du parti socialiste et compris que le P.S., malgré ses drapeaux rouges, n'a rien à voir avec le communisme. Quant aux autres, leur score microscopique traduit à lui seul l'importance que le peuple accorde au gauchisme. Les résultats, confirmant tous les sondages réalisés avant le scrutin, ont clairement indiqué ce que veulent les Portugais et ce qu'ils refusent. Dans un ordre exemplaire, le peuple a joué le jeu. Il a voté. Et bien voté : voilà ce que certains n'ont pas tardé à lui reprocher.

D. P. — *Les militaires, par exemple? Vous parliez de « coup dur » pour le M.F.A...*

M. S. — Le M.F.A. a tenu ses promesses. Son programme du 25 avril 1974 garantissait des élections dans un délai d'un an : il ne l'a pas trahi. Mais il est vrai qu'un secteur important du mouvement et du Conseil de la Révolution avait invité les masses « mal informées » ou déçues par le « jeu des partis » à voter blanc. Dès lors le bulletin blanc devenait un « vote M.F.A. ». Le résultat fut catastrophique : moins de sept pour cent! Le peuple, dans son immense majorité, avait montré aux militaires qu'il était apte à la démocratie et pouvait donc se passer de tuteur. Reconnaissants envers ceux qui les avaient libérés du joug fasciste un an plus tôt, les Portugais n'en manifestaient pas moins leur ferme détermination à créer de vraies institutions démocratiques où la force des armes doit être soumise au pouvoir légitime issu des urnes. Cela sonnait comme un avertissement.

Mais le « coup dur », en ce 25 avril, ce sont d'abord les communistes qui l'ont encaissé. Leur filiale, artificielle-

1. Centre démocratique et social, droite conservatrice.

ment préservée de la faillite — je veux parler du M.D.P. — n'a pu échapper plus longtemps au krach qui l'attendait : le bon sens populaire ne se laisse pas abuser par les manœuvres frauduleuses. Loin de voler, comme prévu, des voix aux socialistes, le « P.C. *bis* » a seulement réussi à faire baisser les actions de la maison-mère : les quatre pour cent du M.D.P. seraient allés, s'il n'avait concouru, dans la besace des communistes qui en avaient bien besoin pour éviter la banqueroute!

Loin de déposer sagement le bilan et de repartir sur des bases plus saines, les communistes se sont entêtés. Le lendemain de leur déroute, ils clamaient sur tous les toits que les élections n'étaient qu'un épisode sans importance, qu'elles ne traduisaient pas le sentiment profond des masses. Radio, télévision, journaux ont repris en chœur ces sornettes, osant même affirmer que le peuple s'était trompé...

D. P. — *Vous caricaturez : le 26 avril, la presse unanime, reprenant les termes du président de la République et des figures de proue du M.F.A., fêtait la « grande victoire du socialisme ».*

M. S. — Du « socialisme » mais jamais du « parti socialiste ». On a voulu faire croire que mon parti avait gagné parce qu'il s'appelait simplement socialiste et que le pays, depuis des mois, n'entendait plus que le mot socialisme. Des sociologues de salon sont venus raconter que le bon peuple n'avait pas choisi un parti plus qu'un autre mais seulement plébiscité « l'option socialiste du M.F.A. ». Toute cette campagne d'intoxication visait à amortir le choc que notre victoire avait provoqué, à dévaloriser notre succès, à effacer le terrible camouflet infligé aux communistes.

C'est pourquoi les troupes du Cunhal n'ont pas désarmé.

115

La direction du P.C. n'était pas trop émue de sa défaite, convaincue que le pacte qu'elle avait sans doute « soufflé » à certains militaires enlèverait une bonne partie de sa signification au verdict populaire.

Nous avons alors compris qu'ils étaient prêts à tout pour s'emparer du pouvoir, au mépris des principes démocratiques les plus élémentaires. Infiltrés dans la presse et les autres moyens de communication sociale, dans l'appareil d'État, jusqu'au sein des instances dirigeantes du M.F.A., contrôlant la bureaucratie syndicale, les communistes étaient décidés à jouer la carte de la démocratie populaire. L'opposition entre deux conceptions du socialisme, totalement antagoniques, n'était jamais apparue plus évidente qu'au lendemain des élections. Rien ne peut réconcilier les communistes, chantres de l'avant-garde ultra-minoritaire qui prend le pouvoir pour elle seule et dont le « socialisme » évoque d'abord l'univers du Goulag, et les socialistes que nous sommes, à la recherche d'une société qui libère l'homme de ses aliénations. La lutte pour notre liberté avait été trop longue, payée de trop de sang pour que nous laissions revenir, sans réagir, une nouvelle dictature qui, sous d'autres couleurs, asservirait les mêmes hommes.

D. P. — *Vous-même, pourtant, à la télévision, avez parlé de « victoire du socialisme ». Au dirigeant du P.P.D. qui se félicitait du « triomphe des démocrates » et mettait bout à bout les scores réalisés par son parti et le vôtre, vous avez répondu, sèchement : « C'est un succès pour la gauche : P.S., P.C. et M.D.P. font la majorité. » L'allusion n'a jamais eu de suite.*

M. S. — Je voulais faire remarquer que mon parti était seul capable de former une majorité en choisissant un partenaire sur sa droite ou sur sa gauche. C'était une menace à peine voilée au P.P.D. comme au P.C. Mais les choses étaient claires : parti-charnière, nous voulions sauvegarder la coalition en place depuis les premiers jours de la révolution. Cunhal voulait nous inciter à bâtir aussitôt l'unité de la gauche : nous avons refusé pour des raisons compréhensibles.

D. P. — *Vous pouviez pourtant vous y engager sans trahir le moins du monde le suffrage universel et la démocratie politique à laquelle vous attachez tant de prix. Mieux, vous bénéficiez vis-à-vis des communistes d'un rapport de forces qui rendrait jaloux un socialiste français ou italien...*

M. S. — ... Trois fois et demie plus gros !

D. P. — *Alors, pourquoi ne pas dire au P.P.D. : « Le peuple portugais a voté en majorité pour la gauche, vous aurez tous les droits qui sont dus à une opposition démocratique...? »*

M. S. — Mais le P.C. a aussitôt montré le peu de cas qu'il faisait des élections.

D. P. — *Aurait-il eu la même attitude si vous aviez donné suite à l'addition ébauchée devant les caméras de la télévision?*

M. S. — Elle franchissait à peine le cap des cinquante pour cent.

D. P. — *M. Giscard d'Estaing a été élu avec moins de cinquante et un pour cent des suffrages. Et il gouverne. Ce qui suffit pour lui est-il trop faible pour vous?*

M. S. — Allende a été victime d'une majorité trop faible. Berlinguer, leader du P.C. italien, ne cesse de répéter que la gauche victorieuse d'une courte tête est encore trop fragile pour se lancer dans des réformes radicales. Il a raison. C'est un péril mortel pour la révolution que de laisser s'affronter deux blocs aux forces presque égales. Nous ne pouvions prendre un tel risque sans compromettre les

117

bouleversements économiques et sociaux pour lesquels nous luttions.

D. P. — *Faut-il comprendre que l'apport du P.P.D. était indispensable pour s'engager dans la voie des réformes audacieuses ?*

M. S. — Ne brouillez pas les cartes. On ne pouvait alors raisonner en termes strictement parlementaires. Notre préoccupation essentielle était de maintenir la base sociale de la révolution qui se rétrécissait chaque jour davantage. Il s'agissait de convaincre le peuple que son avenir était à gauche et non de s'appuyer sur des minorités activistes pour précipiter le cours des choses jusqu'à l'effondrement inéluctable. Quelle était, au fond, l'invitation de Cunhal ? Il nous disait : « Nous sommes majoritaires ensemble : donnez-moi vos voix et nous ferons ma révolution. » Il venait chercher chez nous la légitimité pour faire une révolution de type totalitaire dont nous ne voulions à aucun prix.

D. P. — *Mais puisque vous étiez trois fois et demie plus gros que lui, pourquoi ne pas accepter l'unité et empêcher que certains en fassent mauvais usage ?*

M. S. — Je suis un homme réaliste et mon parti n'est pas un refuge pour doux rêveurs. Trois fois et demie : c'est un rapport de forces électoral. Dans la vie quotidienne, les choses sont un peu différentes : le dynamisme militant des communistes — et des gauchistes — modifie les données du problème surtout quand la situation est révolutionnaire. Leur capacité d'influence dans les luttes de masses, leur emprise sur la presse et un secteur important de l'appareil d'État, leur infiltration dans les instances du pouvoir militaire, leur conféraient une puissance très supérieure à leur représentativité électorale dans le pays. Ils ont d'ailleurs, sans plus tarder, voulu le démontrer : les élections étaient à peine passées que le P.C. et ses satellites organisaient le scandale du 1er mai.

Tout leur était bon pour apparaître faussement comme les seuls « défenseurs de la classe ouvrière et des masses opprimées » : alors que le 1er mai devait être, comme l'année précédente, une grande fête nationale des travailleurs, une nouvelle démonstration de l'attachement du peuple tout entier à la révolution et, en plus, un couronnement populaire des élections, le P.C. a semé la division et la haine. Il a d'abord voulu interdire au P.P.D. de participer à la manifestation, puis l'empêcher de parler au grand meeting qui clôturait la journée. Un accord est finalement intervenu qui prévoyait que seuls les responsables militaires — le président de la République · et le Premier ministre — s'adresseraient à la foule.

Mais dès l'heure du regroupement, les manœuvres ont commencé : le cortège du P.P.D. a été « bousculé », celui du parti socialiste relégué à la queue, tandis que les communistes avaient déjà rempli avec leurs troupes le stade où devait se dérouler le meeting. Sur les gradins, sur le terrain envahi, on ne voyait ainsi que leurs drapeaux et leurs banderoles. Quand enfin, très tard, notre cortège est arrivé, on a voulu l'empêcher d'avancer sous prétexte que l'arène était pleine. Pire, un bureaucrate de l'Intersyndicale m'a interdit personnellement l'accès à la tribune où Cunhal, sans complexe, saluait la foule, les bras levés au ciel !

L'objectif était clair : montrer aux militaires, aux adversaires politiques, à tout le monde, que les élections ne changeraient rien, que « leur » révolution continuait comme avant.

Erreur monumentale. Le peuple n'aime pas qu'on le prenne pour un âne et qu'on lui vole ce qu'il a chèrement acquis. La réaction fut soudaine et violente. Au siège du parti, les militants, scandalisés et survoltés, réclamaient une riposte immédiate. Le premier communiqué de la direction, jugé trop « mou », a dû être corrigé sous leur pression.

Cette fois, les communistes étaient allés trop loin. En jouant avec le feu, ils ont jeté les masses dans la rue. Contre eux. A notre appel, le 2 mai, une foule innombrable remonte l'avenue de la Liberté. Elle n'a qu'un cri : « *É preciso respeitar a vontade popular* ». Il faut respecter la volonté populaire.

CHAPITRE X

« *Companheiro Vasco* »

Dominique POUCHIN. — *« On sait ce que signifie l'intervention de l'armée dans la politique, même lorsqu'elle agit avec la meilleure des intentions et comment, par voie de conséquence, les problèmes s'accumulent et finissent par se compliquer. » La charge est rude. Vous l'avez écrite bien avant qu'une poignée de capitaines, de guerre lasse, décide de bousculer l'histoire, de renverser un régime abhorré et de prendre sa place. Le Portugal change de cap, pas d'uniformes. Les centurions libérateurs du 25 avril 1974 n'avaient sans doute pas lu ces quelques lignes du Portugal bâillonné : elles les auraient sûrement indisposés. Quant à vous, elles ne vous prédisposaient guère à jouer l'« entente cordiale » avec des militaires, même piqués de progressisme.*

Mario SOARES. — Sans eux, je le savais, le fascisme était indéracinable. L'armée n'a jamais été un pilier solide pour Salazar et Caetano : elle était complice de leur oppression par sa passivité plus que par un dévouement sincère à la cause des dictateurs. Il suffisait de quelques hommes déterminés, prompts à utiliser des conditions favorables pour que le régime tremble jusque dans ses fondations : ainsi s'expliquent les nombreuses conspirations fomentées, tout au long des années noires, par des militaires parfois haut

121

placés dans la hiérarchie. Sur ce plan, les capitaines du 25 avril étaient dignes de notre confiance et leur succès justifiait notre reconnaissance.

Mais je suis un démocrate. Et il n'est de démocratie véritable que lorsque chacun est à sa place : celle des militaires, par principe, est dans les casernes et non aux commandes du pays. L'expérience montre, malheureusement, qu'ils ont un certain penchant à se cramponner au pouvoir une fois qu'ils l'ont pris. Les libertés en ont toujours pâti. Le rôle des militaires est suffisamment noble pour qu'ils s'en contentent : ils sont le bras armé de l'État, garant de l'autorité, rempart inexpugnable des institutions que le peuple souverain s'est données. Pourquoi voudraient-ils être davantage ?

Cela dit, le cas du Portugal est spécifique. Il a fallu, chassant le dogmatisme, adapter les principes aux réalités : après quarante-huit ans de fascisme et quatorze ans de guerre coloniale, on ne pouvait relever le pays et le mettre sur les rails de la démocratie sans la moindre transition. Entre le M.F.A., artisan de notre libération, et les partis, dont la vocation naturelle est de prétendre gouverner, devait être passé un compromis qui réponde aux intérêts du peuple et respecte sa volonté. Juste et nécessaire, il fut, comme tous les compromis, un germe d'instabilité.

D. P. — *Certains militaires — notamment les plus proches du major Melo Antunes, ceux que vous qualifiez de « démocrates » — vous ont parfois reproché d'avoir à leur égard une attitude suffisante, voire dédaigneuse.*

M. S. — C'est ce que l'on a écrit mais aucun d'eux ne m'a adressé personnellement pareil reproche. Peu importe, la vérité est que je n'ai, vis-à-vis des militaires, ni mépris

ni complexe. Ils ont droit à toute mon estime, à toute ma
considération mais je ne suis pas de ceux qui leur ont fait
une cour hypocrite, car intéressée. Je ne leur ai pas pro-
digué les sourires enjôleurs d'un Cunhal, jamais avare de
superlatifs flatteurs pour le moindre uniforme. Les
communistes, dès le début de la révolution, ont collé aux
basques du M.F.A. sans le quitter d'une semelle, toujours
prêts à rendre quelques menus services et disposés, bien
sûr, à souffler quelque idée opportune. Ont-ils cru qu'ainsi,
ils feraient la révolution — la leur, pas la nôtre — sans se
montrer, « par procuration »? Ils comptaient sur les
militaires pour imposer leur « ordre », ce qu'ils ne pouvaient faire eux-mêmes puisque le peuple ne les suivait
pas.

En comparaison, nous avons pu sembler distants,
méfiants peut-être. Tant mieux : nous n'avons donc
trompé personne. Fidèles à nos principes, défenseurs
acharnés des libertés et de la souveraineté populaire,
nous n'avons jamais caché que la démocratie exigeait la
soumission des militaires au pouvoir civil et que, passée
la nécessaire période de transition, le Portugal ne saurait
échapper à la règle sous peine de retrouver les vieux
démons de la dictature.

On ne peut être plus correct, plus franc à l'égard des
militaires. Notre sincérité n'a d'égale que notre gratitude.
C'est vrai, le Portugal leur doit sa liberté mais ont-ils,
pour autant, la science infuse? Sont-ils, par la grâce de
leur légitime rébellion, détenteurs du savoir et maîtres de
tout pouvoir? D'aucuns ont fini par le croire. Il fut un
temps où le militaire, paré de mille vertus salvatrices,
était devenu l'homme-miracle par excellence : l'éducation nationale donnait quelques soucis, on envoyait un
ministre-major; la télévision battait de l'aile, on lui prê-
tait un commandant; la santé publique avait certaines

faiblesses, un colonel pour la remonter... Il ne manquait qu'un maréchal pour troquer son bâton contre une crosse et s'asseoir sur le trône du cardinal-patriarche pour rétablir paix et concorde entre l'Église et l'État!...

D. P. — *Vous parlez indistinctement du M.F.A. et des forces armées : n'y a-t-il donc aucune différence ? Peut-on appliquer mécaniquement le schéma traditionnel des rapports entre pouvoirs civil et militaire aux relations plus complexes entre un mouvement né au sein d'une armée et les partis politiques ?*

M. S. — Dans les semaines qui ont suivi le 25 avril 1974, la distinction était très nette entre le M.F.A. et le reste de l'armée. Il suffisait de savoir qui avait conspiré, qui avait tenté de résister au soulèvement et qui — l'énorme majorité, sans doute — était resté prudemment sur la touche en attendant de sentir de quel côté soufflait le vent. Le M.F.A., auréolé de gloire, ne regroupait alors que les quelques centaines de rebelles vainqueurs. Mais il a pris le pouvoir dans l'armée, comme dans le reste du pays. Il a épuré ceux qui, éventuellement, pouvaient encore menacer ses positions ou s'étaient montrés vraiment trop attachés aux cadres de l'ancien régime. Après quoi, le mouvement s'est enflé à vue d'œil et a tissé comme une toile ses ramifications dans la totalité du corps militaire. Du même coup, il a brouillé sa propre image, ses contours sont devenus plus imprécis. Le M.F.A. a absorbé l'armée et finalement s'y est dilué. Trouver un militaire d'active qui ne soit membre du M.F.A. tient aujourd'hui du prodige.

D. P. — *Mais l'évolution n'a pas été linéaire. Son aboutissement est le fruit d'une série de crises : le M.F.A. n'a-t-il pas gouverné dans la quête incessante de son identité ?*

M. S. — Il s'est longtemps cherché et quelques intellectuels, « docteurs ès revolution », lui ont trouvé des étiquettes contradictoires. Ce fut, au départ, un mouvement patriotique et progressiste dont le programme, ambitieux mais très vague, ne pouvait répondre aux exigences d'une politique quotidienne sur tous les fronts. A cette époque, confronté à Spinola qui voulait jouer sa carte personnelle, le M.F.A. a sans nul doute été l'un des moteurs de la révolution, peut-être le plus puissant si l'on tient compte du fait que les partis venaient seulement d'apparaître au grand jour et qu'ils devaient s'organiser avant de pouvoir tenir leur vrai rôle.

Pour contrer l'offensive spinoliste qui visait, ni plus ni moins, à son démantèlement, le M.F.A. s'est durci et il a voulu répondre à une vocation qui n'était pas la sienne. Conscients ou non d'être poussés dans cette voie par les communistes, certains de ses leaders se sont lancés à corps perdu dans une fuite avant-gardiste, incapables de résister à la tentation du pouvoir. Les « habillages idéologiques » ont varié mais l'intention restait la même : imposer, par la dictature s'il le fallait, une « révolution » dont le peuple ne voulait pas. On a vu ainsi surgir quelques définitions originales : en juin 1974, le M.F.A. s'est proclamé officiellement « mouvement de libération nationale » du peuple portugais. La psychanalyse serait sans doute plus utile que la politique pour expliquer telle prétention : défaits et meurtris après quatorze années de guerre, ces militaires n'ont trouvé mieux, pour se blanchir et s'affranchir, que de s'identifier à leurs vainqueurs. Curieux transfert qui suscita plus d'un sourire parmi les dirigeants nationalistes africains... L'idée a été enterrée sans que personne ne s'en émeuve.

Mais elle illustrait bien la volonté, ancrée chez les communistes et leurs partisans dans l'armée, de marginaliser les partis, éternels empêcheurs de tourner en rond, toujours présentés comme des freins à l'expression du

« pouvoir populaire ». L'institutionnalisation du M.F.A., au lendemain du 11 mars, était un pas essentiel dans cette direction, du moins si l'on considère la façon dont les « théoriciens » de la cinquième division entendaient l'utiliser. Ils ont en effet réussi à imposer, comme organe de souveraineté doté de pouvoirs exorbitants, une assemblée de deux cent quarante militaires de tous grades dont nul ne connaissait la composition précise. Personne ne les avait élus : désignés à la hâte par une poignée d'hommes soigneusement placés aux postes-clés, ils devenaient du jour au lendemain le parlement inamovible du M.F.A. et, plus tard — pourquoi pas ? — du pays tout entier... C'est cette assemblée, dépourvue de représentativité, qui a tout bonnement décrété la première grande vague de nationalisations et institué le Conseil de la Révolution.

D. P. — *Mesures qu'à cette époque, vous avez soutenues.*
M. S. — Bien sûr mais cela ne signifiait pas que nous donnions notre caution aux instances qui les avaient prises.

D. P. — *Vous avez ratifié l'existence de l'assemblée du M.F.A. en signant la « plate-forme d'accord constitutionnel », ce fameux pacte.*
M. S. — La signature du pacte était, pour nous, la garantie que les élections auraient lieu. Elles se sont bien déroulées mais il y a au Portugal des gens qui ont horreur de la démocratie : pour eux, le vote du 25 avril 1975 n'était qu'une mauvaise passe, un accident de parcours qu'il convenait d'oublier vite.

Les idées les plus confuses, les plus fumeuses aussi, ont été lancées à grand renfort de propagande, mobilisant chaque jour une presse, une télévision, une radio aux ordres et à l'unisson. Les partis encombraient le chemin :

qu'importe, on allait construire un « M.F.A. civil », trouvaille géniale qui fleurait bon le parti unique. L'échec cuisant de la formule n'a pas découragé les chantres du « pouvoir populaire » qui ont alors mis au point la grande liturgie de la « liaison M.F.A. — Peuple ». Les thuriféraires de la *quinta*[1] ont sorti tout leur arsenal de posters, de mots d'ordre, de discours et même une chanson à la gloire du *companheiro Vasco,* incarnation du M.F.A., « grand dynamisateur national »[2].

D. P. — *Le général Vasco Gonçalves était-il directement responsable de la mythologie créée autour de lui?*

M. S. — Il a cristallisé sur lui les haines et les passions. Sincèrement convaincu — je veux le croire — qu'il travaillait pour le salut de la patrie et le bien de son peuple, il était, en ce sens, très idéaliste, dénué dans une certaine mesure d'ambition personnelle, sourd aux intérêts de caste. Mais contrairement à ce que j'ai pu penser au début de sa carrière politique, il n'était pas naïf : il a consciemment contribué à la tentative communiste d'instaurer au Portugal une démocratie populaire. C'était pour lui comme une mission : réaliser l'unité du P.S. et du P.C. puis les fondre dans un parti unique. Schéma classique...

D. P. — *D'où lui venaient ses convictions? Était-il membre du parti communiste?*

M. S. — Je ne sais s'il « cotisait » mais il servait les intérêts du P.C. et parlait son langage. Objet conscient de la manipulation, il est resté jusqu'au bout fidèle au rôle qui lui était dévolu.

D. P. — *Le connaissiez-vous avant la révolution?*

1. La cinquième division.
2. La cinquième division était notamment chargée des campagnes de « dynamisation culturelle ».

M. S. — Non, mais je sais qu'il fut toujours antifasciste. Officier du génie, il n'a pas eu de grande carrière militaire et s'est fait assez vite remarquer pour ses idées. Il aimait raconter qu'en 1945 ou 1946, un supérieur l'avait violemment interpellé parce qu'il lisait *República*. Il fut influencé dans sa jeunesse par un homme que je connaissais bien car il était professeur au collège de mon père : le capitaine Figueiredo. Mais Vasco Gonçalves n'a jamais eu de solide formation politique : sa phraséologie marxiste sortait tout droit des petits manuels de vulgarisation écrits par Politzer.

Sa rudesse, son langage pas toujours très soigné, le flot agité de ses discours, ont choqué une masse de Portugais pour qui « Vasco » est devenu symbole du désordre régnant. En favorisant la mainmise des communistes sur les rouages essentiels de l'appareil d'État, il a créé un déséquilibre irrémédiable et porte, pour cela, la lourde responsabilité de l'éclatement du M.F.A.

D. P. — *Le mouvement n'était-il pas, par sa nature même, destiné à éclater, miné par ses contradictions internes, tiraillé par des forces antagoniques?*

M. S. — Le M.F.A. a nourri bien des illusions : les uns ont cru qu'il pourrait s'inspirer de l'expérience péruvienne, d'autres ont osé établir des analogies avec le mouvement qui porta Fidel Castro au pouvoir... Mais tout cela supposait une cohérence et une homogénéité politiques que le M.F.A. n'a jamais eues. En fait, à partir du moment où certains ont voulu transformer le mouvement en instrument direct du pouvoir, l'unité de façade s'est lézardée et les conflits s'aiguisant, l'édifice s'est écroulé. A dire vrai, le M.F.A. n'a rien créé par lui-même sur le plan politique ou idéologique : les idées-forces qui se sont affrontées en son sein sont toujours venues de l'extérieur. La lutte entre courants militaires reflétait de façon plus ou moins défor-

mée les antagonismes qui opposaient les différents partis.
Dès que la solidarité de caste, ciment naturel entre militaires, s'est effritée, rien n'a plus masqué les désaccords
et quatre grandes « tendances » sont apparues : l'aile
« radicale » confusément représentée par le général Otelo
Saraiva de Carvalho [1], la fraction procommuniste régentée
par Vasco Gonçalves et structurée par la cinquième division, le groupe des « modérés » — que je préfère appeler
démocrates — abusivement réduit à la personnalité du
major Melo Antunes, et enfin un courant conservateur.

D. P. — *Vous avez souvent assuré qu'Otelo de Carvalho était
« de votre bord ». Son « radicalisme » vous laissait-il si froid?*

M. S. — J'ai toujours eu un faible pour Otelo et son côté
fantasque me le rendait plus sympathique qu'inquiétant.
C'est un personnage généreux et spontané, un militaire
courageux mais un piètre politicien. La presse lui a rendu
un très mauvais service en suscitant ses réactions à tout
propos, ce qui a fini par donner de lui l'image d'un homme
inconséquent. Il l'était en effet et cela m'a valu quelques
difficultés notamment lorsqu'il a accusé l'ambassadeur
américain d'être un agent de la C.I.A. et déclaré qu'il
n'était plus en mesure d'assurer sa sécurité. Ses boutades
et ses sorties intempestives ont heurté les sentiments
profonds du peuple portugais qui a pu prendre, un temps,
ses menaces au sérieux. Ses volte-face continuelles et ses
clins d'œil à l'extrême-gauche ont fini de le déconsidérer
auprès de beaucoup de gens.

D. P. — *Était-il lui-même le gauchiste que l'on a complaisam-
ment dépeint?*

1. Responsable des opérations militaires du 25 avril 1974, le général
de Carvalho fut, jusqu'au 25 novembre 1975, chef du « commandement opérationnel du continent » (COPCON), véritable bras armé
du M.F.A. (voir chapitres suivants).

M. S. — Pas du tout. Certains « stratèges » de l'ultra-gauche l'ont cru ou espéré : ils ont dû déchanter. C'était un homme imprévisible qui a peu à peu perdu pied dans les eaux troubles où végétait dangereusement notre révolution. Il n'avait pas la moindre culture politique et regrettait que son manque de formation l'empêche d'être un « Fidel Castro portugais » ou même européen...

D. P. — *Revenant de Cuba, justement, il a déclaré que vous étiez « le plus sûr espoir de la droite ». Cela vous a-t-il vexé ?*

M. S. — Aucunement. J'ai pensé que quelqu'un avait dû lui glisser cela à l'oreille pendant son voyage.

D. P. — *Au mois de juillet, alors que les troupes du COPCON — sous les ordres du général de Carvalho — venaient de remettre les clés de* República *aux travailleurs* [1], *vous m'avez dit : « Dans le conflit principal qui oppose les tenants de la dictature communiste aux partisans de la démocratie pluraliste, Otelo sera toujours du bon côté... »*

M. S. — J'avais raison. A cette époque, j'ai moi-même tenté de convaincre les foules qui criaient contre lui qu'elles se trompaient d'adversaire. Nous avions contre nous des forces beaucoup plus conséquentes qu'Otelo. Et, après tout, il fut de ceux qui ont permis de venir à bout de Vasco Gonçalves : il a écrit une lettre lui conseillant d'aller se reposer, lire et méditer, qui a pesé dans la chute du Premier ministre et l'affaiblissement de la fraction procommuniste.

D. P. — *Vous avez évoqué l'existence d'un courant « conservateur » dans l'armée. Qui l'incarne ?*

M. S. — Personne « officiellement » : on n'ose pas

1. Voir chapitre XI.

encore, au Portugal, se proclamer conservateur. Mais il est vrai que nombre d'officiers n'ont cessé de rêver, tout au long de ces mois agités, à l'ordre et à la discipline de jadis. Les forces armées sont toujours restées, au fond, conservatrices : Vasco Gonçalves m'a confié un jour l'énorme difficulté qu'il éprouvait à faire avancer ce corps trop lourd sur les chemins du progressisme. Il connaissait le sujet. Comment pourrait-il donc en être autrement? Ces hommes ont été soumis pendant des années à une propagande intense, ils ont dû obéir aux ordres d'un pouvoir fasciste : cela laisse des traces même s'ils ont adhéré, en toute sincérité, aux idéaux du 25 avril.

Heureusement, les officiers démocrates ont compris que l'anarchie grandissante dans les casernes allait provoquer un raidissement et une réaction viscérale de l'encadrement traditionnel. Leur combat courageux a évité la pire des aventures; leur victoire, fruit de leur ténacité, a permis au M.F.A. de renouer avec l'esprit patriotique et progressiste de ses origines.

CHAPITRE XI

Défendre « la République »

Dominique POUCHIN. — *A peine sortie de la médiocrité conformiste et de l'anesthésie presque généralisée auxquelles l'avaient contrainte quarante-huit ans de dictature, l'information devient l'enjeu d'une lutte politique qui ne cessera de s'aiguiser au cours des mois. Pour vous, la vérité tient en une ligne : le parti communiste a pris d'assaut la presse écrite, parlée et télévisée. N'avez-vous pas, à des fins de propagande, noirci le tableau, gommé les nuances et obtenu finalement une caricature qui répondait davantage à ce que vous vouliez démontrer qu'à la réalité ?*

Mario SOARES. — Les communistes ont compris qu'en ce dernier quart du XXe siècle une presse domestiquée, aux ordres du parti, était plus efficace que vingt bataillons de miliciens armés jusqu'aux dents. L'idée n'est pas nouvelle, ni portugaise d'ailleurs : elle a germé ailleurs, surtout après l'échec de l'unité populaire chilienne. Pour certains experts communistes, Allende devrait essentiellement sa perte à la liberté de plume qu'il avait eu l'imprudence de laisser à ses adversaires. Ils ont donc « conseillé » aux camarades portugais de ne pas réitérer l'erreur fatale.

Dès les premiers jours de la révolution, des militants disciplinés se sont infiltrés dans les journaux, les radios

133

et la télévision, et ont commencé à « récupérer » bon nombre de journalistes qui s'étaient particulièrement distingués par leur servilité à l'égard de l'ancien régime. Tout était bon, de la terreur au chantage. Le P.C. s'était emparé des fichiers de la police politique pour se livrer, tous azimuts, à des épurations massives. Or, curieusement, la « grande lessive » s'est arrêtée aux portes des rédactions et l'on a vu des plumitifs adulateurs de Salazar virer au rouge vif du jour au lendemain. Les flagorneurs d'hier arboraient la faucille et le marteau au revers du veston! Recrues dociles, tenues par un dossier compromettant, que l'on n'avait pas même besoin de recycler : seul le vocabulaire changeait, le ton et la technique restaient identiques. Le but aussi : manipuler, intoxiquer.

D. P. — *Vous semblez oublier que, sous le fascisme, l'influence des communistes était prépondérante dans le syndicat des journalistes. Cela peut aussi expliquer que les membres et sympathisants du P.C. soient apparus au grand jour dans la presse après le 25 avril.*

M. S. — Ils étaient les plus actifs dans le syndicat, c'est exact; mais ils en ont perdu la direction dès que des élections ont pu avoir lieu.

D. P. — *Il faut aussi rappeler que Raúl Rego, directeur de* República *fut choisi par le général Spinola pour occuper le ministère de l'Information. N'a-t-il pas alors, comme toujours en pareilles circonstances, placé quelques hommes de confiance aux postes-clés? « L'assaut » des communistes était encore bien discret...*

M. S. — L'infiltration a été progressive. Ils ont d'abord « tâté le terrain », puis l'ont investi et ont régné en maîtres lorsque l'évolution des rapports de forces au sein du M.F.A. les a clairement favorisés. Alors seulement, l'information s'est transformée en propagande, comme aux plus beaux jours de la dictature fasciste. Première cible touchée, le *Diário de Lisboa,* quotidien de grand prestige qui voulait un peu ressembler au *Monde :* en quelques semaines, les communistes ont bouleversé l'orientation du journal qui a aussitôt perdu toute crédibilité auprès du public et vu son tirage s'effondrer. *A Capital* [1] a, peu après, subi le même sort.

D. P. — *Il est pourtant resté, aux yeux de nombreux observateurs, une source d'informations assez larges et diversifiées...*

M. S. — ...sans souci d'équilibre. Le C.D.S. [2] n'y a pas la moindre expression, le P.P.D. pas davantage, le P.S. est souvent négligé alors que les communistes et les gauchistes se taillent la part du lion. Ils ont d'ailleurs continué leur offensive en s'attaquant au *Diário popular.* Là, ils ont usé des méthodes les plus expéditives et ont purement chassé le directeur élu, Manuel Magro, un homme indépendant qui tentait de donner au journal une nouvelle image de marque : ce *France-soir* portugais avait été un des quotidiens les plus serviles pendant un quart de siècle. Il n'allait pas tarder à le redevenir.

D. P. — *Il faut vraiment le disséquer pour y retrouver la plume de M. Cunhal.*

M. S. — C'est un cas à part, peut-être, parce qu'il s'adresse à un public très populaire, mais les communistes y ont tout de même semé quelques plumes habilement dévouées. Rien de comparable, cependant, avec l'incroyable bourrage de crâne auquel se sont livrés les deux quotidiens du matin : *O Século* que le P.C. a repris aux gauchistes, premiers « occupants » de la maison et le

1. En portugais, « La capitale ».
2. Centre démocratique et social : droite conservatrice.

Diáro de Notícias où les hommes de Cunhal ont également réussi à expulser le directeur, un grand journaliste socialiste, José Ribeiro dos Santos. Au réveil, les Lisboètes n'avaient plus le choix qu'entre les *Izvestias* et la *Pravda!*

D. P. — *A la même heure, les gens de Porto devaient choisir entre un quotidien de droite, un autre de centre-droit et un dernier socialisant.*

M. S. — C'est beaucoup dire. Il faut comprendre que Porto n'est pas Lisbonne. Les communistes n'y représentent quasiment rien — environ cinq pour cent — et ne pouvaient donc prétendre dominer la presse. L'auraient-ils tenté qu'une levée de boucliers s'y serait opposée.

D. P. — *Restent, à Lisbonne — hormis* República[1] *— trois quotidiens qui ne sont pas très « tendres » à l'égard du P.C.P. :* Luta Popular, *journal du M.R.P.P.*[2], *qui consacre l'essentiel de ses pages à dénoncer « les activités criminelles du social-fascisme »...*

M. S. — ...c'est un organe de parti. On ne peut en tenir compte.

D. P. — *A* Luta *— créé par les anciens de* República *— et* Jornal novo *qui expriment des idées plus ou moins proches des vôtres.*

M. S. — C'est vrai pour *A Luta* mais pas complètement pour *Jornal novo* qui nous a souvent critiqués, défendant l'unité socialistes-communistes alors même qu'elle était irréalisable, répondant seulement aux vœux d'un P.C. qui

1. Voir pages suivantes.
2. Mouvement pour la réorganisation du parti du prolétariat (maoïste).

n'avait pas abandonné ses prétentions et ses pratiques antidémocratiques.

D. P. — *Estimez-vous, pour compléter ce tableau de la presse écrite, que les hebdomadaires d'information aient été « au service du parti communiste » ?*

M. S. — Ce n'est pas le cas pour les plus « politiques ». *Expresso,* toujours bien informé, reflète un large éventail d'opinions même s'il est dirigé par une tête d'affiche du P.P.D. *Tempo* est modéré, voire conservateur. Et *O Jornal* a su entretenir l'équivoque pour se ménager toutes les issues possibles. En revanche, les hebdo-magazines *(Vida Mundial, Século Ilustrado, Flama...),* très lus au Portugal ont subi l'influence du P.C.

Mais l'essentiel, à notre époque, surtout dans un pays où l'analphabétisme est encore répandu, réside dans le contrôle de la radio-télévision. De fait, les communistes y ont construit un véritable monopole...

D. P. — *...sans toucher, toutefois, à Radio-Renaissance qui n'a jamais cessé, tout au moins à Porto, de diffuser les programmes de l'épiscopat. Quant à Lisbonne, la commission de travailleurs, maîtresse de l'émetteur, n'avait pas plus la bénédiction d'Alvaro Cunhal que celle du cardinal-patriarche.*

Ne pensez-vous pas, au bout du compte, que certains, en vous suivant, ont caricaturé une situation qui méritait d'être étudiée avec plus de nuances ? A la fin du mois de septembre 1975, le major Vitor Alves, un « modéré », déclarait au Jornal novo *: « La droite détient une bonne partie des moyens de communication sociale, elle peut encore parler... » Avait-il donc si tort ?*

M. S. — Les nuances ont leur importance. Qui songerait à le nier ? Mais elles ne changent rien au fond de ce que nous avons dit et dénoncé : la quasi-totalité des journaux, la radio et la télévision ont été pris d'assaut par les communistes et leurs hommes de main de la cinquième division. Telle est la vérité, tel était le scandale. Le P.C. et les gauchistes, qui représentent ensemble moins de vingt pour cent du peuple portugais, ont voulu imposer leur loi... aux frais du contribuable. Car ces journaux qu'ils manipulaient étaient pour la plupart propriété de banques qui avaient été nationalisées : ainsi l'État devait financer le « lavage de cerveaux » avec les deniers d'un public qui ne pouvait plus supporter l'agression quotidienne dont il était l'innocente victime.

Nous avons dit *basta*[1] : le peuple nous a entendus et il nous a suivis. Il était excédé. Comment ne l'aurait-il pas été, entendant jour et nuit à la radio, une prose soi-disant révolutionnaire, des ritournelles à la gloire du *companheiro Vasco,* qui avaient fini par chasser le fado et les véritables chansons populaires? Comment ne l'aurait-il pas été, regardant chaque soir une télévision qui ne s'adressait plus à lui mais à l'infime minorité de ceux pour qui le verbiage suffit à la révolution. Le peuple s'est senti agressé, jusque chez lui, le jour, le soir, la nuit. Il a vu revenir, sous une couleur à peine différente, la manipulation et la violence morale dont il avait si longtemps souffert.

Voilà pourquoi nous nous sommes révoltés quand les communistes ont entrepris de couronner leur assaut en s'attaquant à *República.*

D. P. — *Au matin du 19 mai 1975, devant la façade délabrée d'un vieil immeuble du Bairro Alto, commence l'interminable crise de la révolution portugaise. Elle durera plus de six mois. Plusieurs centaines de militants socialistes ont passé la nuit là, sous la pluie, attendant qu'on leur rende « leur » journal. En*

1. « Assez », en portugais.

138

vain. *L'affaire* República *va remuer le monde entier. On écrira, à son propos, tout et bientôt le contraire de tout. Mais d'abord qu'est-ce que* República?

M. S. — Un symbole. Un grand symbole. De résistance, de dignité, de liberté. Son titre évoque à lui seul ce que fut son combat, au long des années noires, pour garder vivant l'idéal des vieux républicains portugais, toujours prêts à se dresser quand l'homme voit ses droits menacés. Fondé par l'un des présidents de la première République, Antonio José de Almeida, *República* exprima à cette époque les idées du courant libéral et anticlérical, très puissant dans le pays. Le journal, indompté par le fascisme, fut tour à tour interdit et attaqué par des commandos qui saccagèrent l'atelier et détruisirent les machines. Après la Seconde Guerre mondiale, il devint l'organe unique de l'opposition, des monarchistes à l'extrême-gauche.

Il fallait alors le soutien financier des démocrates de tous bords pour que ne s'éteigne pas cette dernière flamme de la liberté. La rotative, à bout de souffle, fut remplacée grâce à une souscription nationale qui témoigna de l'attachement profond du peuple à son journal. Un jour, le directeur, Carvalhão-Duarte, républicain de la première heure et franc-maçon, se sentant vieillir, vint trouver Magalhães Godinho, dont chacun connaissait les convictions socialistes, et moi-même. « *República* ne doit pas mourir, nous dit-il, mais la vieille garde qui le dirige n'est plus assez forte pour assurer son avenir. A vous, socialistes, de prendre la relève. »

C'était dans les années 1965-1966 et, déjà, les communistes auraient aimé prendre le journal en main en rachetant les actions réparties parmi des dizaines de républicains. Carvalhão-Duarte voulait éviter une « O.P.A. » trop contraire aux traditions de son journal et fit, pour cette raison, appel aux socialistes. Nous avons accepté et organisé une nouvelle souscription pour doubler le capital de l'entreprise dont les actions furent achetées par quelques dizaines de militants et de sympathisants. Des journalistes socialistes abandonnèrent d'autres quotidiens pour venir renforcer *República* — y compris Raúl Rego, son directeur — mais le journal resta néanmoins ouvert à l'ensemble des tendances de l'opposition démocratique et notamment aux communistes, présents dans la rédaction.

D. P. — *Comment le journal résistait-il à la censure ?*

M. S. — Par le courage et la ténacité. La collection de ses éditoriaux, dont les épreuves revenaient du bureau des censeurs barrées de crayon bleu, estampillées de ce *« prohibido »* qui prétendait mater l'indépendance d'esprit, prouve à quel point les dictateurs ont eu peur de ces hommes armés seulement d'une plume au service de la vérité.

Par l'imagination et par le subterfuge aussi. Refusant, par exemple, de donner la version officielle de la rébellion de Caldas da Rainha, le 16 mars 1974, un mois avant que n'éclate le soulèvement des capitaines *República* rendit compte de l'événement... en rubrique sportive. Le même jour, en effet, le Football club de Porto avait été battu par l'une des équipes de Lisbonne. Par une étrange allégorie, *República* raconta comment « les gens venus du Nord avaient vaillamment combattu avant de perdre la bataille et ne s'étaient rendus qu'avec la rage au cœur mais assurés d'une prochaine revanche ». Ce que l'œil borné des censeurs avait laissé passer n'a pas échappé à celui, beaucoup plus attentif et avide de vérité, des milliers de lecteurs : les soldats mutinés avaient parcouru quatre-vingts kilomètres, du Nord au Sud, de Caldas aux abords de la capitale. Sortie prématurée, révélatrice du feu qui couvait dans l'armée. Seul *República* sut l'expliquer. A sa manière...

Tout cela explique la confiance que les capitaines — et Spinola lui-même — ont manifestée à l'équipe du journal et à son directeur. N'ont-ils pas voulu faire de Rego leur premier ministre ? Son écritoire balzacienne, croulante sous la paperasse, a vu défiler plus d'un comploteur venu mettre le « patron de *República* » dans le secret des Dieux. Combien de journalistes étrangers sont aussi passés là, dans ce décor antique, heureux d'y respirer la liberté, d'y sentir vivre un Portugal qu'on voulait étouffer.

Le 25 avril n'a rien changé aux habitudes de la maison. Seules les machines éprouvaient quelque peine à répondre à la demande d'un tirage qui avait triplé. *República* cueillait enfin les fruits de son inlassable combat. La rédaction, plus jalouse que jamais de son indépendance, se rebellait à la moindre pression qu'elle jugeait partisane. Nous avons même, à ce moment-là, eu plusieurs discussions orageuses avec Rego car ce journal, propriété des socialistes à quatre-vingts pour cent, se montrait finalement plus accueillant aux communistes qu'à nous-mêmes.

Quand l'offensive du P.C. sur la presse s'est faite plus sensible, les actionnaires du journal ont commencé à s'inquiéter : il fallait, pensaient-ils raisonnablement, planter des garde-fous pour éviter toute surprise. On rédigea de nouveaux statuts qui réaffirmaient la vocation socialiste, pluraliste et indépendante du quotidien. C'était sans doute trop clair pour les partisans de Cunhal qui n'attendirent pas davantage. Ils déclenchèrent l'assaut.

D. P. — *Comment le conflit a-t-il éclaté ?*
M. S. — Après une série d'escarmouches significatives, la première confrontation sévère a éclaté au lendemain des

incidents du 1er mai[1]. Les journalistes chargés d'en rendre compte, qui voulaient mettre en relief les responsabilités — évidentes — de l'Intersyndicale et du P.C., ont été pris à partie par une minorité de la rédaction et finalement, les typographes ont empêché le journal de paraître. Les jours suivants, les tensions sont devenues de plus en plus vives, et, le 19 mai, les communistes ont voulu censurer deux articles qui leur déplaisaient : le premier concernait le retour de Chine d'une délégation du P.C.P.-m.l. [2] et le second, plus important, révélait les épurations scandaleuses qui se préparaient à la télévision. L'information s'appuyait sur un rapport plus ou moins secret de la cellule communiste de la R.T.P. qui exigeait le licenciement de plusieurs dizaines de journalistes, les uns « coupables d'adultère », les autres accusés d'être homosexuels...

D. P. — *Le journal est sorti sans aucune coupure.*

M. S. — Oui, mais c'est cela qui a fait éclater définitivement le conflit. Les gens de l'atelier ont adopté une attitude qui rendait la vie impossible à la rédaction, prétendant contrôler son travail et remplacer ainsi les censeurs d'autrefois. L'assaut entrait dans sa dernière phase. Les communistes s'installaient aux commandes.

D. P. — *A l'étranger, en effet, une thèse s'impose immédiatement : « Les communistes ont volé le journal des socialistes, ultime bastion de la liberté d'expression. » Mais reflète-t-elle toute la vérité? N'avez-vous pas, alors, tenu deux langages : l'un, par l'intermédiaire de la presse internationale, qui avalisait la thèse consacrée — le P.C., en s'emparant de* República, *le quotidien du parti socialiste, veut étouffer la dernière voix de la liberté — l'autre,*

---

1. Voir chapitre IX.
2. Parti communiste du Portugal-marxiste-léniniste (maoïste).

pour le Portugal, qui entendait défendre un journal pluraliste et indépendant?

M. S. — Je n'ai eu qu'un seul et même langage, quel que soit l'interlocuteur. Jamais, je n'ai prétendu que l'on avait volé le journal du parti socialiste. J'ai dénoncé l'assaut contre le dernier quotidien où mon parti pouvait encore librement s'exprimer.

D. P. — *Le* Jornal novo *était déjà sorti et exprimait des vues qui n'étaient pas si éloignées des vôtres...*

M. S. — ...mais il venait de naître et nul n'aurait osé parier sur ses chances de survie. Non, la vérité était limpide. Les communistes, par le biais de quelques typographes, avaient pris possession du journal « des socialistes » : voilà ce que nous avons clamé à tous ceux qui nous écoutaient et s'apprêtaient à nous défendre. Nous n'avons pas parlé du journal « du parti socialiste ».

D. P. — *Typographes communistes contre journalistes socialistes : l'affirmation a été mille fois écrite, mille fois répétée. Mais là encore, est-elle vraie? Les ouvriers et employés opposés à la rédaction et à l'administration légale de* República *ont élu, dès les premiers jours du conflit une « commission de travailleurs ». Deux délégués seulement étaient militants du P.C. et d'autres, plus nombreux, ne faisaient pas mystère de leur hostilité au parti d'Alvaro Cunhal.*

M. S. — Je n'ai jamais nié l'existence d'éléments non communistes dans cette affaire. J'ai moi-même raconté à M. Cunhal une scène dont j'avais été témoin : les travailleurs venaient d'occuper les locaux, grâce à la complicité des troupes du COPCON. J'étais dehors, avec les journalistes et le peuple de Lisbonne, décidé à défendre son journal. Je parvins tout de même à pénétrer dans le bâtiment où je fus accueilli par une véritable bordée d'injures.

Du haut de l'escalier on ne cessait de hurler : « Mort à Soares. » J'ai tenté de parler : « Bien sûr, dis-je, vous voulez transformer *República* en un nouvel *Avante*[1]. » Une réponse a fusé d'en haut : « Mort à Cunhal et à Soares... » Ces gens n'étaient pas tous communistes, c'est évident. Il faut introduire des nuances.

D. P. — *Il ne s'agit plus de nuances. Le problème est de savoir si le P.C. a organisé et dirigé l'affaire* República *contre votre parti?*

M. S. — C'est certain. Il est le premier responsable, celui qui a déclenché les opérations et ouvert le conflit. L'extrême-gauche, seule, n'avait pas les forces suffisantes pour mener un pareil assaut. Mais le P.C. s'est aperçu que les choses allaient trop loin, que le moment était mal choisi car cette vilaine affaire attirait l'attention du monde entier sur la situation dramatique de la presse au Portugal. Il a donc commencé à reculer, timidement, refusant toujours de condamner l'action des typographes et de réclamer, avec nous, le respect de la loi. Un tel geste aurait pourtant eu des répercussions considérables. S'il ne l'a pas fait, c'est que le P.C. espérait bien tirer les marrons du feu.

D. P. — *On peut défendre une autre thèse : le conflit, amorcé par des ouvriers hostiles à l'orientation jugée trop « partisane » de* República, *a pris de court la direction du parti communiste. Sous-estimant l'ampleur que l'affaire pouvait prendre — et commettant en cela une grave erreur d'appréciation — cette direction réagit de façon très « classique » pour qui connaît les réflexes traditionnels des communistes quand une « lutte » part sans eux : elle tente de la récupérer. Dans un deuxième temps,*

1. Hebdomadaire officiel du parti communiste.

très bref, le P.C. se met donc en première ligne. Il ne lui faut guère de temps pour saisir tous les dangers de sa nouvelle position et, comprenant que cette histoire lui apportera plus de déboires que d'avantages, il recule. Sans aller toutefois jusqu'à condamner l'opération car il sait qu'une « base radicale », regroupée dans certaines « commissions de travailleurs », et touchant souvent ses propres troupes, est sensible aux arguments de l'extrême-gauche révolutionnaire, très en pointe dans le déroulement du conflit.

M. S. — L'analyse contient plus d'un élément juste et aborde, sur sa fin, la question essentielle de l'alliance contre-nature entre le parti communiste et les gauchistes qui sera en effet, à partir de l'affaire *República,* une constante de la politique portugaise. Mais les prémisses sont erronées : je suis convaincu que le P.C. est l'instigateur numéro un de cette soi-disant « lutte ». En fait, il n'a jamais digéré la prise de position majoritaire des socialistes dans l'entreprise quand Carvalhão-Duarte en a abandonné la barre. Depuis cette époque, Cunhal et ses amis n'ont jamais renoncé à saboter l'outil qu'ils n'avaient pu dominer et qui avait permis au courant démocratique et socialiste de manifester sa vigueur sous le fascisme.

Ils ont cru possible de rééditer à *República* ce qu'ils avaient fait et réussi au *Diário de Notícias.* Ils pensaient bien que nous protesterions mais n'ont pas imaginé que nous étions décidés à nous battre jusqu'au bout pour notre liberté et celle de tout le peuple portugais. Les communistes avaient un plan, élaboré et approuvé au plus haut niveau pour nous museler et nous détruire, cela ne fait aucun doute. Le premier directeur qu'ils ont nommé pour *República* est Alvaro Belo Marques, dont tout le monde connaît les sympathies communistes.

145

D. P. — *M. Lopes Cardoso, membre du secrétariat politique de votre parti, a déclaré, le 27 juin 1975, à* L'Unité, *hebdomadaire du P.S. français :* « A mon avis, l'affaire República *n'a pas été déclenchée avec l'accord du parti communiste portugais. Il y a des communistes dans la commission de travailleurs, mais le P.C. a pris des positions nuancées et discrètes sur le sujet. Je ne pense pas qu'il soit responsable de l'affaire : il n'y avait d'ailleurs pas intérêt. Je n'ai aucune raison de croire qu'elle a été déclenchée avec l'accord de la direction du parti communiste.* » *Qu'en pensez-vous ?*

M. S. — Je connais très bien cette déclaration. M. Cunhal me l'a citée au moins trois fois au cours d'un débat qui nous a opposés devant les caméras de la télévision française. Elle ne me gêne pas du tout. Lopes Cardoso assistait lui-même à ce « face à face » et, à la fin, m'a confié que ses propos avaient été déformés, et que le texte publié dans *L'Unité* ne correspondait pas à sa pensée. Peu importe d'ailleurs : mon parti, contrairement au P.C., n'est pas monolithique. Chacun, chez nous, est encore maître de sa vie et libre de ses opinions. Nous n'avons aucun goût pour l'uniformité et la contrainte. Aussi, un dirigeant, comme tout militant, peut-il exprimer ses sentiments sans crainte de répression, dans la mesure où il n'engage pas la responsabilité de l'ensemble du parti. Cela n'enlève donc rien à ce que j'ai dit — et le P.S. avec moi — à propos de *República*.

D. P. — *Après deux mois de silence, le vieux quotidien reparaît. Son titre et son allure n'ont pas changé mais, en bandeau, le nom de Raúl Rego a été remplacé par celui d'un colonel nommé par le Conseil de la Révolution. Ceux qui, en toute logique, s'attendaient à y trouver le ton habituel de la presse contrôlée par le P.C., ne peuvent que s'étonner du résultat. Se présentant comme une arme au service du* « pouvoir populaire », República n'épargne pas davantage le parti de Cunhal que le vôtre. N'est-ce pas une preuve que l'on s'est trompé en accusant les communistes?

M. S. — Je ne crois pas. Pour le *República* sauvage, l'ennemi principal n'était plus le fascisme mais la social-démocratie. Et quand ces gens attaquent la social-démocratie, c'est la démocratie tout court qu'ils veulent détruire car ils l'ont en horreur. Leur querelle avec les communistes était secondaire : à telle enseigne d'ailleurs que le parti d'Alvaro Cunhal ne s'en est pas inquiété outre mesure.

CHAPITRE XII

La révolution déchirée

Dominique POUCHIN. — *Dix jours d'été et la révolution se déchire. Du 10 au 19 juillet 1975, le décor de la « longue crise » se met en place. Les oppositions sont devenues irréductibles, les camps sont face à face. Quiconque connaît la suite peut aujourd'hui constater que ces dix journées concentrent les principaux traits d'un affrontement qui ne cessera de s'aiguiser au cours des semaines et des mois. Le 10 juillet, les socialistes membres du gouvernement abandonnent leurs ministères pour protester contre la reparution de* República, *toujours aux mains de ses « usurpateurs ». Le lendemain, le Conseil de la Révolution se contente d'enregistrer les démissions et charge le Premier ministre de trouver, dans les plus brefs délais, de nouveaux titulaires pour occuper les sièges vacants. Avez-vous été surpris par cette apparente indifférence des dirigeants du M.F.A.?*

Mario SOARES. — Un peu, je l'avoue. J'imaginais qu'ils agiraient comme des hommes responsables des destinées d'un peuple, conscients de l'enjeu et informés des réalités politiques. Je pensais donc qu'ils feraient l'impossible pour nous retenir et nous donner les garanties que nous étions en droit d'exiger d'eux. Hélas! ils n'ont pas su prévoir les conséquences de leur inconséquence.

Nous n'avions pourtant rien laissé au hasard, multipliant les mises en garde et affichant ouvertement notre détermination à ne plus tolérer de nouvelles reculades devant les soi-disant travailleurs de *República*. Le président de la République, le Premier ministre, le Conseil de la Révolution et le gouvernement s'étaient tous engagés à rendre le journal à ses légitimes propriétaires. Mais les promesses restaient lettre morte. Je suis allé moi-même dire au général Costa Gomes que la sortie d'un « *República* sauvage » entraînerait notre démission immédiate. Il m'a écouté, courtois comme à son habitude, mais j'ai eu la très nette impression que, pour lui, la partie était déjà jouée. Il n'a rien fait, rien pu ou rien voulu faire, pour éviter que la crise n'éclate. Croyait-il donc pouvoir se passer de nos services, remplacer nos ministres par de « vrais » socialistes comme certains le lui suggéraient? Mauvais calcul : nous étions prêts à résister pour imposer une clarification politique qui impliquait évidemment quelque remue-ménage au sein du M.F.A.

D. P. — *La précipitation des militaires à enregistrer la démission de vos ministres semble pourtant vous avoir pris de court. Dans les jours qui suivent, le siège du parti, à Lisbonne, est vide. Dans le hall désert on a seulement laissé une pétition, signée par une centaine de militants qui demandent une manifestation pour soutenir la politique du secrétariat national. Les dirigeants, dit-on aux gens de passage, ont essaimé dans tout le pays pour « rencontrer les bases »*...

M. S. — Nous sommes allés, en effet, expliquer aux militants la gravité de la situation et les raisons qui nous avaient poussés à une indispensable rupture. Ils n'ont eu aucun mal à comprendre et nous auraient plutôt reproché d'avoir tant attendu pour agir de la sorte. Quotidiennement mêlés aux masses populaires, nos militants reflétaient par leur ardeur les sentiments profonds du peuple portugais, las du désordre et inquiet des menaces d'une nouvelle dictature. En engageant le combat, nous étions sûrs de répondre à ses aspirations. En nous dérobant à nos devoirs, nous aurions fait le jeu d'une droite trop heureuse de canaliser, pour son compte, le mécontentement grandissant.

D. P. — *Le dimanche 13 juillet, deux manifestations annoncent ce que sera l' « été brûlant ». A Rio Maior, des incidents éclatent : en quelques minutes le siège du parti communiste est mis à sac puis incendié. Nous en reparlerons. Mais d'abord, à Aveiro, plusieurs milliers de catholiques se rassemblent pour accueillir leur évêque, de retour de Rome. C'est bien sûr un prétexte. Aveiro est en fait la première étape d'un « tour des évêchés » qui durera presque deux mois. Sept dimanches et sept rassemblements de fidèles : après Aveiro, ce sera Braga, Coimbra, Viseu, Bragança, Porto et Leiria. L'Église se réveille. Était-elle menacée ?*

M. S. — Sûrement. Et, avec elle, tout le peuple catholique. Admettant ses erreurs passées, l'Église était restée volontairement discrète au début de la révolution : elle évitait de répondre aux attaques lancées contre elle sinon par quelques notes très modérées à l'adresse des pouvoirs publics. Mais sa bienveillance et même son incontestable ouverture d'esprit devant les changements en cours ne lui ont pas apporté ce qu'elle pouvait attendre : une juste réciprocité dans l'attitude de tous les partis au pouvoir. Aveuglés par leur sectarisme, les communistes n'ont pas compris que l'intérêt de la révolution était de s'assurer les meilleurs rapports possibles avec une institution qui règle la conscience de millions de Portugais.

Menacée dans sa liberté de parole, privée de sa station de radio, attaquée dans le secteur de l'enseignement privé, l'Église a pu craindre le pire pour son existence même. Elle a réagi. Qui, à sa place, ne l'aurait fait ?

J'ai eu plusieurs fois l'occasion d'aborder le problème avec le cardinal-patriarche de Lisbonne. C'est un homme courageux qui avait accepté de recevoir, à Rome, l'exilé que j'étais. Quand la situation a commencé à se détériorer et que l'Église s'est sentie agressée de toutes parts, il m'a confié ses craintes : « Nous avons grand désir de collaborer avec le nouveau régime, me dit-il, nous ne souhaitons aucun retour au passé, nous partageons l'idéal de liberté et de justice qui anime les partisans du socialisme mais nous ne pouvons accepter d'être seulement « tolérés » avant d'être traités, demain, comme des pestiférés. Avons-nous commis des fautes, manqué à notre mission en oubliant de faire entendre notre voix quand des hommes étaient opprimés ? Peut-être. Mais nous serions coupables du même péché si aujourd'hui encore nous taisions les injustices et les atteintes à notre liberté. Sous d'autres latitudes, l'Église du silence a su résister, nous saurions suivre son exemple. » Pourquoi n'aurais-je pas cru à la sincérité de ces propos ?

D. P. — *« Église du silence ? » L'Église portugaise ne l'avait-elle pas été pendant cinquante années, laissant à d'autres le soin de « résister » ?*

M. S. — L'énorme majorité de ses prélats et de ses vicaires est restée muette devant les crimes quotidiens du fascisme. Certains heureusement ont sauvé son honneur en refusant cette passivité complice : des prêtres ont lutté coude à coude avec les travailleurs ; des évêques, au Mozambique, ont dénoncé les massacres commis par l'armée coloniale ; celui de Porto a condamné publiquement le corporatisme du régime et a dû s'exiler. Ils ne furent qu'exceptions mais faut-il, pour autant, vouer aux gémonies l'institution dans son ensemble ? Qui songe aujourd'hui à bannir tous les magistrats de la justice salazariste? Qui donc oserait faire à l'armée le procès qu'on intente à l'Église? Ses responsabilités ne sont-elles pas plus graves? On a blanchi les uns et l'on voudrait noircir les autres...

Socialistes et Portugais, nous refusons d'identifier l'Église à son passé, nous respectons la foi et les croyances de notre peuple. Nombreux sont les catholiques, prêtres et laïcs, qui ont rejoint nos rangs et témoignent de notre volonté d'encourager une évolution progressiste de l'Église, rejetant ainsi l'anticléricalisme qui creusa la tombe de la première République et fit le lit de la dictature. Un dialogue, franc et compréhensif, s'est instauré entre l'Église et mon parti : facteur original de notre révolution, c'est un espoir pour mon pays qui aspire pardessus tout à la réconciliation.

D. P. — *Cette bienveillance a provoqué quelques remous dans le parti. N'avez-vous pas été obligé, un jour, d'expliquer votre attitude aux militants socialistes de la Lisnave qui ne comprenaient pas que leur parti soutienne l'épiscopat contre les travailleurs de Radio-Renaissance?*

M. S. — J'ai dû, en effet, convaincre ces camarades, victimes de la propagande corrosive des communistes et des gauchistes, que notre politique était la seule raisonnable. Nous avons longuement discuté car notre position suscitait des incompréhensions, y compris chez certains de nos députés. Nous avons persuadé tout le monde et pu jeter, ensuite, des bases solides pour une coopération, indispensable au progrès révolutionnaire, entre l'Église et le parti socialiste.

D. P. — *Certaines manifestations dominicales du « tour des évêchés » ont été suivies de violences anticommunistes (sans qu'il fût toujours possible d'établir un lien direct). Des discours,* *cependant, comme celui de Mgr da Silva, évêque de Braga, contenaient des appels si peu voilés à la « croisade » qu'ils ont entraîné, au Portugal et à l'étranger, de vigoureuses réactions. Le cardinal Marty, archevêque de Paris, a lui-même exprimé son inquiétude. Le parti socialiste portugais n'a rien dit...*

M. S. — Peut-être avons-nous mieux compris ce discours que le cardinal Marty : il n'appelait pas à la violence comme on l'a prétendu, pas aussi nettement en tout cas. Il affirmait que des gens attaqués, menacés dans leurs droits et dans leurs libertés se devaient de défendre leur place au soleil. Il n'y a là rien de répréhensible. Au contraire.

Je ne suis pas l'avocat de Mgr da Silva, que je ne connais pas, mais rendons-lui cette justice : il n'est pas à l'origine des troubles qui ont éclaté après le grand rassemblement des fidèles de Braga. Les responsables, ce sont les communistes eux-mêmes qui, des fenêtres de leur local, ont insulté la masse des manifestants qui regagnaient leur domicile ou leurs cars. Ceux-ci se sont indignés, fort justement, et certains, plus excités peut-être, ont jeté des pierres sur le siège du P.C. Les militants communistes, au lieu de s'éclipser discrètement, sont allés chercher des fusils et ont tiré sur une foule désarmée.

D. P. — *Bien des témoins n'ont pas vu les événements se dérouler de cette façon.*

M. S. — Les témoignages, dans ce genre d'affaires, sont toujours discordants. Un fait est là : les blessés graves furent tous du même côté, les communistes s'en sont tirés sans une égratignure.

D. P. — *La flambée d'anticommunisme avait commencé quelques semaines plus tôt dans une bourgade tranquille, à 75 kilomètres au nord de Lisbonne. A Rio Maior, ce dimanche 13 juillet, c'est l'affluence des grands jours : marché le matin, football l'après-midi. Mais il y a aussi une réunion convoquée par la Ligue des petits et moyens agriculteurs, organisation contrôlée par le parti communiste. Dans les cafés et sur la place, des paysans s'agitent : « Les communistes, dit-on, veulent imposer leur loi et leur Ligue dans le canton. » On ne les laissera pas faire. Des incidents éclatent : échauffourées et chasse à l'homme. Deux heures plus tard, une petite maison est mise à sac, les meubles et les papiers, passés par les fenêtres, brûlent au milieu de la rue. Pour la première fois, un siège du parti communiste a été pris d'assaut. En moins de six semaines, soixante autres subiront le même sort dans le centre et le nord du pays.*

Votre parti a attendu quinze jours pour condamner cette explosion de violence. Le 20 juillet, au cours d'un cocktail offert à vos amis socialistes d'Europe venus à Lisbonne participer à un colloque sur les voies de transition au socialisme, quelques journalistes se sont étonnés auprès de vous de ce manque de réaction. Vous avez répondu — et ce fut publié : « Comment pourrais-je dire à nos militants d'être aimables avec des gens qui les agressent chaque jour ? »

M. S. — Ces quelques mots, prononcés entre deux verres, dans un cocktail, alors que nous étions sollicités de tous côtés, n'ont jamais voulu dire que mon parti n'avait pas condamné les attaques contre les locaux du P.C. Nous l'avons fait, immédiatement, dans les meetings auxquels j'ai participé : est-ce notre faute si une presse manipulée n'en a pas rendu compte ?

Des camarades étrangers m'avaient posé la même question : je leur ai relaté l'énorme difficulté que nous éprouvions à expliquer dans de multiples réunions notre ferme réprobation de tous ces actes de violence. Partout, nous devions apaiser les esprits et, quelquefois, calmer nos propres militants. Voilà le sens exact de la petite phrase que vous avez relevée et mal comprise. Il n'y eut aucune équivoque de notre part : nous avons même donné des ordres stricts à nos sections pour que nul ne se laisse embringuer dans ces assauts et qu'au contraire les responsables fassent l'impossible pour empêcher cette onde de progresser.

Nous avons été scrupuleusement suivis. Jamais un socialiste n'a été mêlé de près ou de loin à une attaque. Souvent même, nos camarades ont protégé les communistes et si cette flambée n'a pas pris une tournure plus brutale, plus alarmante, c'est, en grande partie, à nos efforts qu'on le doit. Le P.C. le sait bien et ne nous a jamais attaqués sur ce terrain.

D. P. — *A Rio Maior, un mois plus tard, le parti socialiste organise un meeting auquel vous assistez. A vos côtés, Manuel Alegre, membre du secrétariat national du P.S., prend la parole : « Cette terre, dit-il, est devenue un symbole. Le nom de Rio Maior est entré dans la lutte du peuple portugais pour la liberté et le socialisme. Ici, le peuple a démontré ce que l'on doit faire quand une minorité tente de le manipuler ou d'imposer ses solutions dans son dos et contre sa volonté[1]. » Était-ce une façon de dire aux gens du bourg qu'ils avaient eu raison, un dimanche de juillet...*

M. S. — ...non de brûler le local d'un parti mais de ne pas s'en laisser conter par une poignée de « révolutionnaires professionnels » aux prétentions totalitaires. La résistance de Rio Maior est exemplaire : en disant « non au communisme », son peuple a fait tourner le vent au Portugal; il a montré le prix qu'il attachait à une liberté si neuve qu'il n'avait pas encore eu le temps d'y goûter et

1. *Portugal socialista*, hebdomadaire du P.S., numéro du 27 août 1975.

d'en jouir pleinement. Chacun aurait bien sûr préféré qu'une force publique fît respecter la loi, mais quand l'autorité de l'État s'effondre, que peuvent faire des gens décidés à sauver leur pays et leur révolution, sinon agir eux-mêmes?

D. P. — *En un mois, les communistes ont été chassés du nord du pays. Aujourd'hui, dans certaines régions, ils ont dû retourner dans cette clandestinité qu'ils avaient connue si longtemps sous le fascisme. Quels sentiments cela peut inspirer à un homme qui vécut, avec eux, des décennies de résistance?*

M. S. — Je suis un non-violent. Ces haines et ces fureurs m'ont ébranlé : comment donc un parti, sorti de la résistance auréolé d'une gloire légitime, avait-il pu, un an plus tard, susciter contre lui tant de colère et d'aversion? La réponse est désespérément simple : les communistes arrogants et dominateurs se sont rendus odieux au peuple qui les a rejetés pour défendre la plus chère de ses conquêtes : la liberté.

D. P. — *L'anticommunisme, pièce maîtresse de l'idéologie de l'ancien régime, a-t-il été fermement combattu aux premiers temps de la révolution par l'ensemble des forces qui se réclament de la démocratie?*

M. S. — Cunhal a oublié de méditer un vieux dicton plein de bon sens : qui sème le vent récolte la tempête. Il a fait davantage pour nourrir l'anticommunisme que cinquante ans de propagande salazariste... Qui oserait demander à un homme agressé, vexé, humilié toute la journée par le sectarisme des communistes, d'aller le soir écouter des discours qui prétendent extirper de sa tête les stigmates de l'anticommunisme? Le P.C. a semé la discorde entre les Portugais, attisé les querelles parmi les travailleurs et répandu partout l'esprit d'intolérance qui fit haïr, autrefois, les jésuites et les inquisiteurs. Libérés du fascisme, allions-nous vivre enfin ces heures tant attendues de joie et de fraternité ? A peine, car de nouveau l'intolérance a divisé les hommes. La révolte contre l'emprise des communistes n'a pas toujours été sans tache et sans ombre : il y eut çà et là des manipulations et la droite à demi endormie s'est réveillée pour profiter de la situation. Mais l'élan authentique et spontané du peuple, ce véritable soulèvement contre l'oppression menaçante, ont permis de dire non à la domination d'une minorité. Ils ont fait plus pour la victoire finale de la démocratie que les manœuvres et les contre-manœuvres qui modifièrent le rapport des forces au sein du M.F.A.

D. P. — *Précisément, le début de la crise marque une cassure qui semble irrémédiable entre votre parti et le M.F.A. Au cours d'une manifestation organisée le 15 juillet devant le siège de la fédération de Lisbonne, la foule s'en prend aux militaires. Hier couverts d'œillets, les soldats sont devenus cibles de quolibets. Un mot d'ordre apparaît : « Le peuple n'est plus avec le M.F.A. »*

M. S. — Pour la majorité des Portugais, le M.F.A. s'identifie alors à Vasco Gonçalves et ce qu'il représente. Ils ne pouvaient savoir ce qui se tramait dans la coulisse, mesurer l'importance de l'opposition chaque jour plus nette des officiers démocrates à la manipulation de leur mouvement par les hommes de paille du parti communiste. Le réflexe de cette foule était bien naturel : le Conseil de la Révolution avait sereinement accepté la démission de nos ministres et feignait de n'y voir qu'un accident de parcours, le P.P.D. n'était pas encore sorti du gouvernement et tout le monde savait que l'on cherchait dans le P.S. quelques « vrais » socialistes pour boucher les trous. Des masses de gens ont ainsi compris que l'objectif était de casser le parti socialiste et l'ont soutenu car il était le seul à résister et à se tenir droit devant « les cornes du taureau ».

D. P. — *Les jours suivants — 18 et 19 juillet — voient se dérouler l'un des affrontements les plus confus et les plus dramatiques de la révolution portugaise. A Porto et à Lisbonne, les communistes appellent le peuple aux barricades contre la « réaction » : dans les deux villes, les socialistes réunissent des foules considérables. Au soir du 19 juillet, l'échec du P.C. est patent, et l'on n'a pas fini d'en mesurer les conséquences.*

M. S. — Les communistes eux-mêmes n'ont pas compris la leçon. Leur déroute aurait pu les amener à réfléchir et « corriger le tir ». Mais ils ont continué sur leur lancée, aveugles et triomphants. Pourtant, tout ce qu'ils avaient entrepris afin de nous empêcher de manifester avait été réduit à néant par l'audace courageuse de dizaines de milliers de socialistes. Éternels comploteurs, Cunhal et ses amis n'avaient rien négligé : depuis plusieurs jours, presse, radio et télévision sortaient une cascade de communiqués, d'alertes, d'appels aux masses — plus menaçants d'heure en heure — lancés par le P.C., l'Intersyndicale et leurs acolytes pour démanteler la « grande conspiration réactionnaire » qui se préparait. On incitait le peuple à ériger des barricades pour faire front au fascisme, comme le 28 septembre et le 11 mars, mais cette fois l'ennemi était le parti socialiste « fer de lance de la réaction » !

L'ambiance était telle que mes amis me déconseillaient d'aller à Porto participer au meeting que nous avions décidé de maintenir quoi qu'il en coûte. Les rumeurs les plus folles couraient la ville : on parlait de bagarres, d'attentats... Chez moi, le téléphone n'arrêtait pas de sonner, deux fois sur trois pour des menaces anonymes. On ne savait pas très bien quel moyen de transport adopter. En voiture, je risquais d'être intercepté sur la route. En avion? Mais on disait que les communications étaient coupées entre l'aéroport et le centre de Porto. J'ai finalement pris le risque et, à ma grande surprise, quand le Boeing a atterri, je n'ai rien vu d'anormal. Une dizaine de camarades m'attendaient, très calmes. « Que se passe-t-il? Porto est sur le pied de guerre? La radio annonce qu'il y a des barricades partout. » Ils me rassurèrent aussitôt : « Non, tout va très bien, me dirent-ils, le P.C. a décrété la grève générale mais personne n'a suivi. Il a voulu arrêter les trains, les tramways et les bus, mais tout circule normalement. Il a tenté de faire baisser les rideaux des magasins, mais tout est encore ouvert. Il y a bien eu quelques petites barricades mais les pêcheurs de Matosinhos et les gens de Gaia[1] ont rapidement tout balayé... »

Porto ne s'était pas laissé intimider. Je me suis rendu à mon hôtel et je dormais quand un officier de la police militaire a frappé à ma porte. Il venait me proposer une escorte, j'ai refusé. Mais je n'imaginais pas que le peuple me servirait d'escorte. Vers huit heures, en effet, je m'apprêtais à dîner quand une foule a déferlé près de l'hôtel : c'étaient des ouvriers et des pêcheurs qui venaient de Gaia et se dirigeaient à pied vers le stade das Antas où avait lieu le meeting. Je suis allé au-devant d'eux en compagnie du poète Manuel Alegre, contre l'avis des camarades de Porto, un peu inquiets. Et nous avons traversé la ville en un cortège triomphal.

D. P. — *Vous avez fait, ce soir-là, un discours sans surprise, très violent à l'égard du parti communiste. N'y avait-il pas, pourtant, une politique plus opportune? Si le P.C. a subi un tel échec, c'est que non seulement le « peuple » mais aussi sa propre base a*

1. Banlieues de Porto.

refusé de suivre les consignes de la direction : les remous étaient grands dans les cellules et l'on pouvait entendre certains exiger publiquement une rapide autocritique. D'autre part, le même soir, le P.C. n'a pu détourner contre vous (comme il l'aurait voulu) une manifestation des « commissions de base » influencées par l'extrême-gauche qui ne tenait pas à partager la déroute promise à l'escalade antisocialiste. Un discours dénonçant l'aventurisme et le sectarisme des dirigeants communistes mais restant, malgré cela, très « ouvert », n'aurait-il pas accentué les failles qui se dessinaient au sein même du P.C. et rendu ses militants plus sensibles à une volonté unitaire? Attaquer frontalement — ce que vous avez fait — n'était-ce pas au contraire les pousser à resserrer les rangs?

M. S. — Ce sont là des questions délicates qu'il était difficile de bien sentir « à chaud », en ces journées d'agitation fébrile. Je n'ai pas disposé, sur le coup, de tous les éléments d'analyse et j'ignorais cette résistance dans les rangs communistes. Peut-être aurais-je dû en tenir compte mais à la vérité je crois avoir réagi comme il convenait en fonction de la situation à l'échelle du pays tout entier.

A Lisbonne, les événements se précipitaient : mal remis de sa débandade de Porto, le P.C. n'en avait pas moins tourné son énorme appareil de propagande vers la capitale où il tentait de présenter notre rassemblement du lendemain comme une « nouvelle marche silencieuse des contre-révolutionnaires ». Lancer, dans de telles conditions, des formules unitaires aurait semblé incongru. Personne n'aurait compris. J'ai donc attaqué les communistes, mais plus modérément que vous ne le prétendez, moins violemment sans doute que ne le souhaitait la foule qui m'écoutait.

D. P. — Les événements de Porto se répéteront à peu de choses près, vingt-quatre heures plus tard à Lisbonne. Mais, cette fois, sentant peut-être l'impasse dans laquelle ils se sont four-voyés, les communistes ont baissé le ton. Pourquoi?

M. S. — On les y a contraints. Leur intention était de rejouer, en plus osé, le scénario qui avait fait merveille le 28 septembre 1974 : hurler au loup et faire sortir la meute pour ratisser le terrain qu'eux-mêmes ensuite pourraient occuper tranquillement. Le loup n'existait pas : peu importe, ils allaient le créer en inventant cette marche sur Lisbonne de la « majorité silencieuse ». Malheureusement la « meute » s'est fait tirer l'oreille : loin de sentir le loup, elle a flairé le piège. Les militaires du COPCON, que le P.C. poussait à intervenir, ont préféré rester prudents. Refusant d'avaliser la thèse du complot imminent de la réaction, ils décidèrent d'assurer l'ordre eux-mêmes et ont ainsi perturbé le plan du P.C. qui avait tout misé sur les barricades et la « vigilance populaire ». Cunhal, au dernier moment, a dû reculer, ce qui n'a pas toujours empêché ses troupes de dresser des barrages sur les routes et de se livrer à de véritables agressions contre les socia-listes qui venaient de toute la région assister au rassem-blement.

D. P. — *Le P.C. baisse le ton et vous haussez la mise. Décla-ration de guerre, le discours de Lisbonne, le samedi 19 juillet couronne une semaine d'offensive socialiste : l'heure n'est plus aux compromis, vous exigez la démission du général Vasco Gon-çalves et la formation d'un gouvernement de salut national. Cer-tains militaires vous l'ont reproché, jugeant que votre initiative prématurée avait renforcé la position de celui que vous vouliez voir éloigné. L'avez-vous regretté?*

M. S. — Aucunement. Des militaires démocrates étaient en effet très mécontents de moi : « Nous étions, disaient-ils, sur le point de gagner mais votre attaque directe a provoqué un réflexe de caste et ressoudé temporairement le M.F.A. derrière Vasco... » Dans le parti, des camarades ont été sensibles à la critique et ont défendu le même raisonnement. Je crois qu'ils avaient tort. Nous devions mettre les points sur les « i » car le peuple attendait que l'on parle haut et clair. Mieux, je suis convaincu que notre détermination, ce soir-là, a précipité une clarification salutaire au sein du M.F.A. Il était grand temps.

J'ai derrière moi une solide expérience des militaires. J'ai souvent conspiré avec eux dans le passé et je les entends encore me dire : « Si vous aviez un programme de gouvernement, nous donnerions le coup fatal à Salazar. » Nous avons fait ce programme et nous l'avons signé : c'était en 1961 et cela m'a valu six mois de prison. De nouveau libre, j'ai retrouvé mes militaires très mécontents : « La sortie de votre programme a tout gâché, juraient-ils, nous étions prêts à renverser le régime... »

J'ai appris, depuis lors, qu'il vaut mieux parler net et mettre chacun devant ses responsabilités. Le Premier ministre, au lendemain de ce fameux discours, était bel et bien face aux siennes. Le peuple portugais lui avait dit de s'en aller : « *Fora Vasco* [1]. » Mais il s'est accroché au-delà de toutes les prévisions...

1. « Dehors Vasco. »

CHAPITRE XIII

L'été brûlant

Dominique POUCHIN. — *Il vous faudra six semaines pour obtenir ce que vous exigiez le 19 juillet. Six semaines qui virent naître et mourir un gouvernement. Six semaines qui brisèrent l'unité factice du M.F.A. Les six semaines de résistance d'un homme adulé et haï : « Vasco. » Au milieu des intrigues et des rebondissements, des alliances éphémères et des divorces retentissants, il « tint » contre vents et marées. Comment?*

Mario SOARES. — En imposant sa loi au peuple et au M.F.A. Une loi que lui dicte le parti communiste, toujours plus avide de pouvoir, acharné à tisser ses réseaux dans l'appareil d'État.

D. P. — *Devant les difficultés à former un nouveau gouvernement, le général Vasco Gonçalves a pourtant bien offert sa démission au président de la République.*

M. S. — La sortie des ministres P.P.D. et de certains « indépendants » avait ruiné les tentatives pour « renflouer » le quatrième gouvernement. Il fallait se résoudre à en faire un cinquième qui, s'il gardait le même chef, ne pouvait être qu'une farce tragique, les deux partis majoritaires ayant décidé de camper dans l'opposition. Quelques irresponsables se sont lancés dans l'aventure, plongeant le pays dans le chaos, au bord de la guerre civile.

Pourquoi n'a-t-on pas évité une aussi douloureuse expérience? Vasco Gonçalves fut près de renoncer avant qu'on lui donne un sursis qui prolongea la crise et exposa notre révolution aux pires périls. Malgré toutes nos pressions, le président de la République n'a pas voulu démettre son Premier ministre. Sa politique, hésitante et timorée, paralysait la situation à l'heure même où il était indispensable de trancher. Le général Costa Gomes parlait notre langage, dénonçait les erreurs et les excès commis, soulignait constamment le caractère pluraliste de la révolution mais semblait gouverner sous l'empire d'une logique contraire.

D. P. — *A mesure que la crise s'accentue, vous raidissez votre attitude à l'égard du chef de l'État. Vous méfiez-vous de lui?*
M. S. — Nous n'avons jamais eu le moindre doute quant à la volonté du général Costa Gomes de servir la révolution et de favoriser l'instauration d'un régime stable, d'une démocratie pluraliste et socialiste, objectif essentiel du programme du M.F.A. Cela n'interdit pas de discuter sa politique et même de contester tel ou tel de ses choix.

D. P. — *Quel homme est-il?*
M. S. — Intelligent, c'est évident. Très au fait des dossiers, ce qui est rare chez les Portugais, surtout parmi les militaires. Il écoute, prend des notes, médite et sait toujours de quoi il parle mais il parle très peu. Pas assez, à mon sens, pour imposer l'autorité que lui confère sa charge. Naturellement enclin à préserver ses jugements, il est passé maître dans l'art du compromis.

D. P. — *Et du calcul?*
M. S. — Peut-être. Il veut d'abord éviter les confrontations violentes : c'est tout à son honneur mais cela l'en-

traîne à cautionner des situations inacceptables. Nul ne conteste son courage : il a su en faire preuve contre l'ancien régime en étant, par exemple, le premier officier supérieur à déclarer que la guerre coloniale n'avait pas de solution militaire. Il a vécu dans l'ombre de Spinola bien que les capitaines aient tenté de le pousser au premier rang. Il a préféré s'effacer jusqu'à ce que la chute du premier président le force à prendre la place.

D. P. — *L'éminence grise projetée sur le devant de la scène?*
M. S. — ...mais qui aurait gardé les habitudes des antichambres. Il a dû traverser des moments difficiles, lutter contre des vents contraires, jugeant préférable de louvoyer pour passer le cap. A-t-il eu tort de trop temporiser? Un peu plus d'énergie et d'esprit de décision n'auraient-ils pas permi de s'éloigner plus tôt du gouffre? On peut légitimement s'interroger sans manquer au respect que l'on doit à un homme de son rang.

D. P. — *Le tenez-vous pour responsable de l'existence du cinquième gouvernement provisoire?*
M. S. — On ne saurait lui reprocher la gestion catastrophique de la dernière et éphémère équipe travaillant sous les ordres de Vasco Gonçalves. Entre l'avant-gardisme échevelé du Premier ministre et le gradualisme mesuré que préconisait le président de la République, le fossé s'est élargi de jour en jour. Néanmoins, le chef de l'État a cru que l' « attelage » pourrait tenir quelque temps : c'était dans son esprit une étape, une transition nécessaire pour remettre la révolution sur ses rails. Il voulait rompre en douceur avec le gonçalvisme et nous a demandé de l'aider en cessant toute hostilité pendant deux mois, « délai indispensable pour mettre au point une solution plus raisonnable ».

Nous avons rejeté son offre en lui disant clairement que ce « gouvernement de passage » — comme il l'avait lui-même qualifié — nous ferait seulement passer... au communisme. De fait, la « transition » de trois semaines a permis au P.C. de noyauter sans vergogne les ministères, les services, les entreprises nationalisées, les organismes de réforme agraire, les administrations régionales et locales... Bientôt, rien ne leur échappait plus et le Portugal était gouverné par le secrétariat du Comité central à la tête d'une armée de bureaucrates.

On pouvait vraiment craindre le pire : le M.F.A. était apparemment tombé aux mains des hommes de la cinquième division qui distribuaient effrontément blâmes et satisfecit aux gens et aux partis. C'était le règne de l' « agit-prop ». Le pays n'était plus qu'un bateau ivre voguant toutes voiles dehors vers les eaux froides d'un archipel trop connu. Mais par excès de confiance sans doute, les communistes et leurs alliés d'un jour n'ont pas senti que la mer s'agitait et que dans la tempête, ils finiraient par perdre le gouvernail. Le sursaut des militaires démocrates a fait écrouler la façade unitaire du M.F.A. derrière laquelle les gonçalvistes abritaient leur prétendue légitimité révolutionnaire. Le dernier gouvernement de Vasco Gonçalves est mort-né car à la veille de son investiture, un document signé de neuf officiers a brouillé tous les plans. Ces dix feuillets allaient provoquer un raz de marée dans l'armée. Le M.F.A. avait éclaté et nous n'étions plus seuls devant les cornes du taureau.

D. P. — *L'offensive était-elle concertée entre votre parti et le groupe de Melo Antunes?*

M. S. — On a abusivement identifié le « groupe des Neuf » à Melo Antunes, qui en fut peut-être l'inspirateur mais non le chef. Il avait avec lui des hommes très importants : Vasco Lourenço, officier de grand prestige, deux commandants de région militaire — les généraux Charais et Pezarat Correia — et d'autres officiers connus et estimés pour leur action politique, comme l'amiral Vitor Crespo, artisan de la décolonisation au Mozambique[1]. Tous ont montré un sens aigu des responsabilités et ils ont su manifester leur détermination au moment décisif.

L'initiative du document leur est propre. Nous savions bien sûr que des membres du Conseil de la Révolution, avec lesquels nous avions toujours entretenu les meilleures relations, jugeaient l'heure venue de s'opposer à la désagrégation du pays, simple préliminaire à la prise du pouvoir par les communistes. Nous savions même qu'une sorte de « manifeste » était en cours d'élaboration, mais rien de plus. Il n'y a jamais eu de plan concerté entre les neuf et les socialistes.

D. P. — *Au moins quelques rencontres utiles et efficaces ?*

M. S. — Des échanges très normaux. On n'avait pas besoin de négocier quelque combinaison : dans les grandes lignes nos idées convergeaient et le « document des Neuf » a en effet repris les propositions clés que nous avions avancées pour sortir de la crise et sauver la révolution.

D. P. — *Le major Melo Antunes s'est plaint quelquefois en privé de votre anticommunisme. Un de ses amis, le capitaine Vasco Lourenço, a même déploré devant une assemblée du M.F.A. la tendance naturelle des socialistes à « oublier que le Portugal vit une révolution ». Comment avez-vous accueilli ces critiques ?*

M. S. — Souvent, ces militaires ont dû se « dédouaner » vis-à-vis du P.S. pour pouvoir attaquer les communistes

1. Les neuf signataires du document étaient membres du Conseil de la Révolution : il s'agit des généraux Franco Charais et Pezarat Correia, du commandant Vitor Crespo, des majors Melo Antunes, Vitor Alves, Costa Neves et Canto e Castro et des capitaines Vasco Lourenço et Sousa e Castro.

sans être aussitôt soupçonnés d'avoir partie liée avec la
« social-démocratie ». En vérité, à notre place, affrontant
les mêmes obstacles et investis des mêmes responsabilités,
ils auraient agi comme nous l'avons fait. On avait dit de
Melo Antunes qu'il était tiers-mondiste et neutraliste
quand ma diplomatie regardait en priorité vers l'Europe.
Il m'a succédé aux Affaires étrangères : qui a pu relever un
changement notable d'orientation? Là, comme dans tous
les autres domaines importants, nous sommes d'accord
sur l'essentiel. Évidemment, Melo Antunes ne tenait pas
à devenir « l'homme du P.S. » dans le M.F.A. : il repro-
chait assez au Premier ministre d'être « l'homme du P.C. »
pour se garder d'établir avec nous des rapports compa-
rables. Il n'avait pas besoin de « souffleur » : antifasciste
de longue date, marxiste de formation, il a les reins solides
et une carrure d'homme d'État. Compétent, généreux et
scrupuleux, c'est certainement le plus formé politiquement
des militaires que j'ai eu l'occasion de connaître.

D. P. — *Son initiative — quel que soit le contenu même du*
document — n'ouvrait-elle pas une brèche où a pu s'engouffrer
toute la droite de l'armée, impatiente de mettre fin à la « chienlit »,
au besoin par la manière forte?

M. S. — Où était le danger principal sinon dans l'escalade insensée du parti communiste? On est toujours l'allié
objectif de quelqu'un : à force d'user de cette fausse
logique, on s'interdit de réagir et on laisse opérer, en toute
quiétude, les ennemis de la démocratie. Le P.S. aussi a
été accusé d'ouvrir les portes à la droite mais il faut être
aveugle ou de mauvaise foi pour ne pas comprendre que
nous lui avons au contraire barré le chemin. Sans nous et
sans les officiers démocrates, les communistes auraient
imposé une dictature qui provoquait immédiatement une
guerre civile... et le retour du fascisme. Le célèbre comman-

dant Alpoím Calvao, qui dirige depuis l'Espagne les réseaux clandestins du M.D.L.P. spinoliste[1], n'a-t-il pas admis publiquement que la victoire des « neuf » lui avait compliqué la tâche? C'est tellement plus facile de conspirer contre un pouvoir honni par les trois quarts de la population.

D. P. — *L'extrême-droite terroriste a sans nul doute perdu au change mais cela ferme-t-il pour autant la porte à un retour « en douceur » d'une droite plus classique? Quatre-vingts pour cent des officiers du cadre permanent ont signé le document des « Neuf »: étaient-ils tous progressistes?*

M. S. — Certes non. Et alors? Ils réclamaient la reprise en main d'une armée qui commençait à se désintégrer : la suite leur a donné raison[2]. Le désordre profite seulement à ceux qui savent l'utiliser pour détruire l'autorité de l'État et imposer sur ses ruines leur totalitarisme. Que la lutte contre l'emprise communiste ait renforcé une certaine droite, c'est évident et le P.C. en est le premier responsable. La droite intelligente existe et veut participer à l'effort national : pourquoi l'en empêcher, si elle respecte les règles du jeu démocratique? Mieux vaut une stabilisation de la révolution dans le cadre d'une démocratie politique qu'une aventure communiste qui mène droit au chaos.

D. P. — *Le P.C. a vite compris que l'intervention des « Neuf » modifiait totalement la situation. En l'espace de quinze jours, il assouplit peu à peu sa tactique, finit par « lâcher » le général Vasco Gonçalves et propose une grande négociation entre militaires et partis pour résoudre la crise. Pourquoi ne pas avoir répondu à l'invite?*

M. S. — Dix-huit mois d'expérience nous ont appris à

1. Mouvement démocratique de libération du Portugal, lancé par le général Spinola après sa fuite au Brésil.
2. Voir chapitre suivant.

nous méfier des doubles jeux, des lucarnes qu'on entrouvre et qu'on referme aussitôt. Cunhal était contraint de se faire plus tendre : le rapport des forces militaires avait changé mais surtout, à cette époque, l'Est et l'Ouest célébraient à Helsinki les vertus de la détente. Montrer les griffes au beau milieu de la conférence sur la sécurité européenne aurait gêné les camarades de Moscou qui attachaient beaucoup de prix à la signature d'un accord.

Il est vrai cependant que les communistes ont dû abandonner le soutien inconditionnel et suicidaire qu'ils accordaient à Vasco Gonçalves. Malheureusement pour eux, le *« companheiro »* a continué sur sa lancée, la créature a échappé au créateur puis est allée chercher, pour compenser l'appui trop hésitant et trop timide du P.C., quelques fidèles dans l'extrême-gauche militaire regroupée au sein du COPCON.

D. P. — *Des officiers servant sous les ordres d'Otelo de Carvalho avaient en effet rédigé un « projet de plate-forme pour une alternative révolutionnaire » qui rejetait les propositions avancées par les « Neuf » mais attaquait aussi vivement les pratiques du parti communiste. Comment a donc pu s'effectuer le rapprochement entre cette « gauche radicale » et Vasco Gonçalves ?*

M. S. — Le document des officiers du COPCON, en fait rédigé par quelques gauchistes bien connus, n'était à mon avis qu'un expédient. Deux tendances s'affrontaient : celle, procommuniste, de Vasco et de la cinquième division et celle, démocratique et progressiste, de Melo Antunes, représentant les huit dixièmes de l'armée. Entre les deux, Otelo a dansé une véritable valse-hésitation : un jour flirtant avec les « Neuf », le lendemain faisant du pied aux gonçalvistes. Ses hommes ont alors voulu le « stabiliser » sur une position autonome : d'où ce texte, très « révolutionnaire » qu'Otelo a sans doute lu en diagonale, don-

nant l'imprimatur sans cesser malgré tout de faire des
œillades aux « modérés ». Il prétendait élaborer une synthèse entre leur document et le sien (enfin, celui qu'on
voulait bien lui attribuer) : l'objectif était d'arracher
quelques concessions au groupe qui, visiblement avait
presque gagné la bataille. Otelo a cru que l'affaire était
conclue et s'en félicitait déjà lorsque ses officiers ont rompu
les discussions en cours avec les « Neuf ».

Au même moment, le P.C., pris au dépourvu par l'éclatement d'un M.F.A. qu'il aurait tant voulu bâtir à son
image, docile et monolithique, ne pouvait plus tenir à
bout de bras un homme qui commençait à perdre pied :
Vasco, de plus en plus isolé, a donc favorisé l'alliance de
ses partisans avec les officiers du COPCON pour retrouver
un appui militaire. Ce rapprochement a permis, au
niveau civil, la création de ce fameux Front d'unité révolutionnaire (F.U.R.), qui, pour la première fois en Europe,
réalisa l'alliance contre nature des communistes et des
gauchistes. Certes, le P.C. n'y est resté officiellement que
trois jours mais son départ ne fut pas une rupture : pendant trois mois, il a maintenu l'entente cordiale avec
ces groupes qu'il traitait autrefois en parias. Et il osait
nous proposer de négocier avec eux — baptisés alors
« autres forces progressistes » — la solution de la crise...

D. P. — *Permettrez-vous l'étonnement d'un Français accou-
tumé à voir les communistes jeter l'exclusive sur l'extrême-gauche
alors que les socialistes acceptent parfois de la rencontrer et d'agir
avec elle. Les rapports seraient-ils inverses au Portugal?*

M. S. — D'abord, le F.U.R. n'était qu'un cartel de grou-
puscules dont l'influence dans les masses était des plus
réduites. Les principaux mouvements gauchistes avaient
refusé d'y adhérer. Mais là n'est pas encore l'essentiel :
nous avons refusé de négocier avec eux car il ne s'agissait

pouvez oublier que nous sommes membres de l'O.T.A.N. : il est donc impossible de prendre de tels risques ». La polémique a été assez vive d'autant que nous demandions, en outre, la participation des « Neuf » — détenteurs de la véritable légitimité révolutionnaire du 25 avril — dans le nouveau gouvernement.

D. P. — *Cette promotion de « Vasco » n'était-elle pas un piège ? Le président de la République, connaissant bien le rapport des forces dans l'armée, a pu penser qu'il était plus facile de « déloger » un chef d'état-major général contesté par ses officiers qu'un Premier ministre qui divisait encore le pays.*

M. S. — L'hypothèse a été évoquée au cours de la conversation...

D. P. — *...par le président ?*

M. S. — Je peux seulement dire qu'elle fut envisagée mais nous l'avons également combattue car elle était trop dangereuse. Qui nous garantissait qu'une fois en place, le nouveau chef d'état-major ne s'imposerait pas par la force ? En le nommant Premier ministre en juillet 1974, Spinola songeait-il que Vasco et son équipe l'écarteraient du pouvoir deux mois plus tard ?

D. P. — *Le général Vasco Gonçalves ne sera même pas investi dans ses nouvelles fonctions. En moins de huit jours, une fronde a eu raison de lui.*

M. S. — Il a tenté d'y résister mais elle était trop forte pour lui. Son départ laissait espérer une période d'accalmie, indispensable pour rétablir l'économie et redonner au peuple la confiance qui manquait. Cunhal ne l'entendait pas ainsi : pour lui, l'éviction de Vasco n'était qu'un *pronunciamento* et il appelait déjà ses troupes à se mobiliser contre « le virage à droite ». La grande manœuvre subversive allait commencer.

CHAPITRE XIV

Des soviets à la commune

Dominique POUCHIN. — *Le rideau qui s'abaisse sur l'assemblée de Tancos* [1] *marque la fin d'un épisode et non, comme certains l'ont cru, le dénouement du drame. L'entracte sera bref mais agité. Dans la coulisse, on négocie pour former un nouveau gouvernement : tâche délicate quand deux protagonistes — le P.C. et le P.P.D. — refusent de se rencontrer et de se parler, obligeant le troisième — votre parti — à jouer les « messieurs bons offices ». Lorsque la scène s'éclaire de nouveau, le décor a changé : ni antichambres de ministère, ni cabinets d'état-major, mais le pavé de Lisbonne et la cour des casernes. Comment en est-on venu là?*

Mario SOARES. — Presque naturellement. Vasco était tombé mais le gonçalvisme n'était pas mort : les communistes n'avaient pas renoncé à prendre le pouvoir. Le M.F.A. leur avait échappé et se dressait désormais en travers de leur route : qu'importe, ils sauraient le détruire. Le sixième gouvernement ne pouvait être à leur botte, comme celui qui l'avait précédé : qu'importe, ils sauraient miner son autorité et le chasser en temps voulu. L'objectif restait le même, seule la manière changeait. La leçon de Tancos n'avait donc pas suffi. On ne devait pas tarder à s'en apercevoir.

L'amiral Pinheiro de Azevedo voulait faire du P.S. la

1. Le 15 septembre 1975, une assemblée du M.F.A. réunie à la base-école de parachutistes de Tancos, a modifié la composition du Conseil de la Révolution, excluant le général Vasco Gonçalves et plusieurs de ses partisans.

colonne vertébrale de son gouvernement. Nous n'en demandions pas tant, car fidèles à l'idée que nous avions lancée dès le 19 juillet au cours du grand rassemblement socialiste de Lisbonne, nous pensions que seul un gouvernement d'unité et de salut national était capable de sortir le pays de la crise. Cela impliquait une clarification totale sur le plan militaire : le président de la République et le Premier ministre ont d'abord hésité, paraissant disposés à quelques concessions en faveur des gonçalvistes vaincus. Le général Costa Gomes a même proposé de conserver le ministre des Affaires étrangères du cinquième gouvernement. Mais les atermoiements n'ont pas duré : Melo Antunes a retrouvé son fauteuil aux *Necessidades* [1] et les autres ministres militaires ont tous été choisis parmi les « Neuf » ou ceux qui les avaient soutenus. De ce côté, la victoire des démocrates était totale.

Les véritables difficultés ont surgi lorsqu'il a fallu « redessiner » la coalition gouvernementale en tenant compte des nouveaux rapports de force. Les communistes, décidés à semer le maximum d'embûches sur la voie du redressement, exigeaient l'exclusion du P.P.D. et refusaient de discuter en sa présence. Le P.P.D., repris en main par Sá Carneiro sur des positions de plus en plus marquées à droite [2], voulait écarter le P.C. ou, tout au moins, obtenir que la participation de chaque parti fût proportionnelle aux résultats électoraux. L'intention de chacun était évidemment de placer les socialistes dans une situation intenable : les communistes espéraient nous

1. Palais des Nécessités, siège du ministère des Affaires étrangères que le major Melo Antunes avait déjà occupé sous le quatrième gouvernement provisoire.
2. M. Sá Carneiro, secrétaire général du P.P.D., avait dû abandonner temporairement son poste pour des raisons de santé. Il avait été remplacé par M. Emilio Guerreiro qui avait donné au parti une position de centre-gauche.

pousser dans les bras du P.P.D. pour bien montrer que nous étions un « parti de droite »; Sá Carneiro, à l'inverse, souhaitait une alliance exclusive P.C.-P.S. qui lui aurait permis de canaliser à son profit le mécontentement populaire et d'en tirer les bénéfices électoraux.

Nous avons su déjouer leurs plans et les renvoyer dos à dos en menaçant de constituer une équipe homogène avec des civils indépendants et des militaires démocrates. Il n'était pas question pour nous de choisir un allié à droite ou à gauche, et encore moins d'y être contraints. Notre fermeté a, provisoirement, ramené tout le monde à la raison. Cependant, nous avons dû remplir notre rôle de charnière et servir d'intermédiaire entre des gens qui acceptaient, à l'extrême rigueur de gouverner ensemble... mais refusaient de se parler! Finalement, après avoir surmonté bien des obstacles, le gouvernement de la dernière chance a vu le jour : outre les cinq militaires et trois civils indépendants, il comprenait quatre socialistes, deux P.P.D. et un seul communiste.

D. P. — *Sá Carneiro a donc eu gain de cause : le dosage reflète la force électorale respective des trois formations. Mais plus qu'une victoire du P.P.D., n'est-ce pas là une défaite du M.F.A.? Le « pacte » signé le 12 avril avec les partis visait en effet à limiter étroitement la portée des élections : il était entendu qu'elles ne devaient servir qu'à envoyer des députés rédiger une constitution. Six mois plus tard, leur résultat devient la mesure-étalon pour former un gouvernement. Est-ce un premier recul du « pouvoir militaire »?*

M. S. — C'était une condition posée par le P.P.D., non par nous. Leur argument était solide : « Le cinquième gouvernement n'a pas duré un mois, disaient-ils, car il ne répondait pas à la volonté du peuple. Si nous voulons maintenant relever le pays, il nous faut respecter sa

volonté, celle qu'il a librement exprimée en votant le
25 avril 1975. » Un démocrate ne peut rien objecter à un
tel raisonnement : le M.F.A., rendu à ses « pères légitimes » ne l'a pas contesté, admettant ainsi, dans les faits,
que le pacte signé avant les élections ne correspondait plus
à la nouvelle situation. Pour notre part, le dosage des
portefeuilles nous importait moins que le programme sur
lequel le gouvernement devait s'engager pour consolider
la démocratie, reconstruire l'économie et rétablir la
confiance. La plate-forme présentée par l'amiral Pinheiro
de Azevedo nous a donné totale satisfaction : elle repre-
nait l'essentiel des exigences que j'avais formulées dans
une lettre adressée quelques semaines plus tôt au président de la République, le pressant de mettre un terme à
l'aventure gonçalviste.

D. P. — *Le 19 septembre 1975, le sixième gouvernement pro-*
visoire prend ses fonctions. Pour certains, ce jour-là, le pouvoir
passe aux mains du « parti de l'ordre ».

M. S. — Je préfère dire : « de l'efficacité ».

D. P. — *Il n'en fera pourtant guère preuve pendant deux*
mois.

M. S. — Le gouvernement a commencé à travailler, éla-
borant un plan d'urgence pour affronter les énormes
difficultés économiques de l'heure, obtenir une aide de
l'étranger et remettre un peu d'ordre dans le monde du
travail. Plus que tout autre, il avait besoin d'autorité et
de force morale afin de conduire le pays jusqu'aux élections législatives du printemps 1976.

Les fanatiques de la subversion l'ont bien compris et
ont aussitôt entrepris de saboter son action partout où ils
pouvaient agir. Les communistes, jamais en reste, n'ont
pas tardé non plus à dévoiler leurs intentions : laissant

traîner le pied droit dans le gouvernement, ils pesaient de tout leur poids sur le gauche résolument ancré dans l'opposition. Ils ont emboîté le pas aux gauchistes et attaqué sans vergogne un pouvoir auquel ils participaient! On a ainsi pu voir un secrétaire d'État communiste critiquer en public l'orientation de son propre ministre, socialiste. La direction du P.C., signataire de la plate-forme présentée par le Premier ministre, est partie en guerre contre le « gouvernement social-démocrate qui prétend faire payer aux travailleurs les frais de la crise du capitalisme et ouvre les portes au retour du fascisme... ».

Que cherchaient donc les communistes? Renverser le gouvernement, en l'absence d'une quelconque alternative crédible? Je ne pense pas. Exercer un chantage pour imposer la reconnaissance unilatérale du M.P.L.A. avant l'indépendance de l'Angola fixée au 11 novembre? L'hypothèse, souvent évoquée à Lisbonne, me semble trop machiavélique. En vérité, ils s'efforçaient plutôt de démontrer que, sans eux, rien ne pouvait fonctionner et espéraient arracher de cette façon une renégociation globale du « partage du pouvoir » : replacer quelques hommes au Conseil de la Révolution où les gonçalvistes étaient nettement minoritaires depuis l'assemblée de Tancos; gagner un ou deux fauteuils au gouvernement où ils ne pouvaient supporter d'être moins bien lotis que le P.P.D. qu'ils couvraient quotidiennement d'injures.

D. P. — *Devant la « paralysie précoce » qui frappait le gouvernement, le président de la République ne vous a-t-il pas suggéré d'aller vers une entente exclusive P.S.-P.C., seule susceptible d'assurer une certaine stabilité?*

M. S. — Le général Costa Gomes a envisagé cette solution, notamment après son voyage à Moscou où il avait reçu, disait-il, certaines garanties. Mais c'était impossible :

le parti communiste portugais ne donnait, lui, aucune espèce de garantie. Le peuple ne nous aurait jamais pardonné une telle alliance et, vu la crise économique que nous traversions, cela amenait irrémédiablement la droite au pouvoir et la minorisation progressive du P.S. Or, l'existence d'un grand parti socialiste, totalement autonome et maître de sa politique est indispensable pour instaurer au Portugal une démocratie politique cheminant vers l'horizon encore lointain du socialisme.

D. P. — *Le général Costa Gomes a un jour affirmé devant l'assemblée du M.F.A. que la révolution s'arrêtait à trente kilomètres au nord de Lisbonne. Pour avoir négligé ce qu'il y a au-delà, Vasco Gonçalves est tombé. Mais le sixième gouvernement ne suscitait-il pas la méfiance de ceux qui vivent en deçà de la « frontière », dans une capitale enfiévrée, des banlieues ouvrières toujours mobilisées et un Alentejo lancé à corps perdu dans la réforme agraire ? Si l'on ne peut gouverner sans le nord, peut-on davantage s'imposer contre Lisbonne et le sud ?*

M. S. — La propagande des communistes et des gauchistes contre le soi-disant « gouvernement de droite » a certainement eu des effets négatifs sur une partie de la population du Sud à laquelle on a voulu faire croire que ses acquis étaient menacés. Il est aussi évident que nous vivons une révolution et que, parfois, des masses en mouvement déclenchent des mécanismes de contestation difficilement contrôlables par quelque parti que ce soit. On est vite arrivé à un dérèglement presque total : emportés par une frénésie revendicative, les gens n'ont plus su distinguer le possible de la pure fantaisie.

En ville, on prenait la révolution pour une fête permanente, heureux de profiter des bienfaits de la société de consommation quand, à l'usine, on s'arrêtait de produire pour un oui ou pour un non, une assemblée, une dis-

cussion ou une « manif »... A la campagne — dans l'Alentejo essentiellement — on confondait réforme agraire et
anarchie, on occupait partout des terres qui ne devaient
pas l'être, on vendait le bétail au rabais, on ruinait les
récoltes sans penser aux lendemains ni aux jacqueries qui
couvent. Et pendant ce temps, la planche à billets fonc-
tionnait, les émigrés vidaient leurs comptes en banque, le
marché noir faisait son apparition, les réfugiés d'Angola
arrivaient par dizaines de milliers et l'on passait allègre-
ment le cap des trois cent mille chômeurs. Tel était le
résultat d'une politique économique insensée menée par
une bande d'irrespônsables, compagnons de route du
P.C. Il était temps de remettre de l'ordre avant que
d'autres ne s'en chargent sous la férule d'un Pinochet providentiel.

Mais au lieu de prendre, à nos côtés, leur part de responsabilités, les communistes ont préféré jouer de la
surenchère et s'attaquer au dernier rempart qui protégeait
encore l'État de la destruction totale : l'armée. Leur politique est alors devenue véritablement criminelle. A quoi
rimait donc cette pagaille monstre, cette indiscipline, cette
subversion généralisée? Que venaient faire dans le Portugal
de 1975 ces soviets de soldats et de marins sortis tout droit
des garnisons de Petrograd et de Cronstadt, à peine
dépoussiérés, livrés avec un mode d'emploi datant de
1917? L'état-major avait-il perdu sa boussole, qui laissait
dire et laissait faire sans réagir, allant même parfois jusqu'à encourager ces « nouvelles formes de soutien au
pouvoir populaire »? Où nous menait cette anarchie?
Comment ne pas voir, ne pas comprendre la rage de la
plupart des officiers devant des bidasses débraillés qui
saluent poing levé? Contraints de céder face à la force du
nombre et à l'impunité assurée aux semeurs de troubles,
ils ruminaient leur revanche, marqués par leur éducation

élitiste, leur attachement aux valeurs hiérarchiques et leur sens de l'autorité. Eux allaient réagir et l'on sait trop, par expérience, à qui profite une rébellion d'officiers lassés par les désordres et la gabegie, pour en prendre le risque en leur donnant quelque raison d'intervenir.

« Dépossédés » du M.F.A., rejetés par la très grande majorité du peuple, souvent haïs et craints, les communistes ne voulaient pas démordre. A court de munitions sur les autres terrains, ils ont sorti ces incroyables SUV[1] : alors, je n'ai plus douté qu'ils iraient jusqu'au bout. Peut-être même avaient-ils engagé le dernier round ?

D. P. — *On sait pourtant que les SUV sont nés à l'initiative de l'extrême-gauche.*

M. S. — Les communistes y ont pris une part non négligeable. Mais, surtout, c'est à eux que le travail de sape et de démoralisation allait bénéficier.

D. P. — *Au cours de plusieurs conférences de presse, des porte-paroles de SUV ont expliqué que leur mouvement entendait empêcher l'armée portugaise de jouer un jour contre la révolution le même rôle que son homologue chilienne. Était-ce une préoccupation absurde ?*

M. S. — Ridicule. On aurait à la rigueur compris que SUV apparaisse en avril 1974, à une époque où l'on ne savait trop ce que voulaient vraiment ces capitaines. On pouvait alors se méfier. Mais dix-huit mois plus tard, c'est insensé et criminel. Car ceux-là même qui ont créé SUV n'avaient cessé pendant toute cette période d'encenser le Mouvement des forces armées, de vanter son rôle d'avant-garde révolutionnaire, de palabrer sur l'alliance miracle du peuple et du M.F.A... Et subitement, quand les instances

1. SUV : Soldats unis vaincront : organisation contestataire apparue dans l'armée portugaise au mois de septembre 1975.

supérieures du mouvement échappent au contrôle du P.C., on voit fleurir les soviets dans les casernes : coïncidence troublante. En un instant cette armée qu'on vénérait et qu'on flattait était devenue un instrument de la contre-révolution, un ennemi du peuple !

Non, le plus court chemin pour rejoindre le Chili de Pinochet était sûrement cette désintégration irresponsable du corps militaire. On ne joue pas impunément à introduire la lutte des classes dans les casernes : qui empêcherait demain une « assemblée révolutionnaire » de soldats d'interdire à un officier l'entrée d'une garnison ? Une cinquantaine d'anciens combattants de la guerre coloniale, infirmes ou déficients, avaient bien séquestré le Conseil des ministres...

D. P. — *Qu'avait-on fait ce jour-là ?*
M. S. — C'était incroyable : les ministres m'ont téléphoné chez moi à deux heures du matin pour me dire qu'ils étaient cernés et ne pouvaient plus sortir. Comble de tout : les principaux chefs militaires étaient avec eux, impuissants. Ils multipliaient les démarches, contactaient les unités pour que l'on vienne les libérer mais personne ne répondait à leurs appels. J'ai réveillé des camarades et l'on a envisagé d'ameuter le peuple en pleine nuit pour qu'il aille délivrer son gouvernement. Finalement on a réussi à convaincre Jaime Neves[1] qui, avec ses *chaimites,* a pu sortir les pauvres ministres de leur guêpier !

D. P. — *Le lendemain, les socialistes manifestent devant la caserne d'Amadora pour exprimer leur reconnaissance à Jaime Neves. Permettrez-vous une comparaison scabreuse et provoca-*

1. Commandant du régiment des « commandos », unité d'élite basée à Amadora, à dix kilomètres de Lisbonne (voir chapitre suivant).

trice : c'est un peu comme si demain, le parti de François Mitter-
rand descendait dans la rue pour soutenir Bigeard et ses paras...

M. S. — En manifestant à Amadora, les socialistes ont fait leur devoir : montrer aux militaires loyaux que le peuple est derrière eux. Admettons que Mitterrand et son parti soient au pouvoir en France (ce qui viendra un jour, je l'espère), que le gouvernement soit séquestré par une bande d'agitateurs et que le général Bigeard, répondant à sa mission, vienne rétablir l'ordre et la légalité, pourquoi les socialistes n'iraient-ils pas, le lendemain, le remercier de son geste?

L'essentiel pour nous était de démontrer que la quasi-totalité du peuple portugais aspirait d'abord à l'ordre et à la tranquillité sans lesquels le pays ne pourrait se rétablir et encore moins marcher sur la voie des réformes. Nous devions, coûte que coûte, maintenir ce gouvernement, dernière planche de salut avant une dictature, quelle que soit sa couleur.

Les communistes ont franchi une nouvelle étape en voulant imposer illégalement leur pouvoir en Algarve [1]. Le gouvernement civil de Faro, membre du M.D.P., avait, par sa politique, dressé la population contre lui : le ministre de l'administration interne a donc décidé de le remplacer et a nommé un socialiste, Almeida Carrapato. Le P.C. a aussitôt organisé une manifestation qui, grâce à la complicité d'une unité militaire, s'est terminée par l'occupation et la mise à sac du palais du gouverneur. Les socialistes ont alors rassemblé le peuple de Faro qui a repris le palais d'assaut en maltraitant au passage le colonel du régiment. L'affaire a provoqué une grande émotion et nous a permis de mesurer à la fois la détermination des communistes et la colère de moins en moins contenue des

1. Province méridionale du Portugal dont la capitale est Faro.

Portugais. Contre la campagne systématique du P.C. et
des journaux à sa solde, nous avons pris, avec le P.P.D.,
l'initiative de grands rassemblements d'appui au sixième
gouvernement et à son chef, l'amiral Pinheiro de Azevedo.

D. P. — *Vous n'hésitez plus alors à mêler vos drapeaux à ceux
du P.P.D. et même à ceux du C.D.S., notamment à Porto où les
militants des trois partis entrecroisent symboliquement leurs ban-
nières. Étrange coalition?*

M. S. — C'était une manifestation unitaire en faveur
d'un gouvernement de gauche. Mais il est vrai que nous
n'avons exclu personne, ni à gauche, ni au centre, ni à
droite.

D. P. — *Cela importe peu à un dirigeant socialiste de laisser
son parti joindre ses voix à celles de la droite?*

M. S. — Franchement, je dirai que cela ne fait rien. On
a vu à Porto des camions arriver remplis de gens drapeaux
au vent : il y avait là des marxistes-léninistes, des socialistes, des militants du P.P.D., des partisans du C.D.S.,
tous réunis dans une grande confraternisation. Ce front
commun pour la défense des libertés est né spontanément
de la base, balayant les scrupules et les hésitations de
quelques dirigeants.

D. P. — *N'y a-t-il pas là quelque danger d'alliance de classe
aventureuse pour un socialiste?*

M. S. — L'alliance de classe n'a rien à voir ici. Il
s'agit seulement de défendre la liberté. Essayez donc de
comprendre la réaction d'un homme qui voit, jour après
jour, s'effilocher ses libertés et sent naître autour de lui un
univers concentrationnaire. Ces problèmes de classes
semblent alors secondaires, comme au temps de la lutte
contre Hitler, qu'importait alors au maquisard de savoir

si son voisin sur le lit de feuilles avait été, autrefois, Croix de feu, Action française ou communiste ? Une seule chose importait : il combattait à ses côtés contre l'envahisseur allemand. Au Portugal, en cet automne de 1975, le choix est aussi simple : unir tous ceux qui sont prêts à lutter contre la menace grandissante d'une dictature communiste.

D. P. — *Vous inspirant de l'exemple du P.C. français qui, dans la résistance, se battait — dites-vous — coude à coude avec les anciens « ultras », étiez-vous disposé à lutter aux côtés des activistes de l'ELP[1] contre les partisans de la démocratie populaire ?*

M. S. — La question ne s'est heureusement pas posée puisque les gens de l'ELP sont clandestins ou sont partis à l'étranger. Mais si les communistes avaient pris le pouvoir, l'alliance se serait certainement réalisée. Contre Salazar et Caetano, nous avons fait un front commun antifasciste qui allait de l'extrême-gauche aux monarchistes. Pour résister au social-fascisme, danger mortel et contre-révolutionnaire, nous étions prêts à adopter la même tactique. Un Tchèque nous comprendrait très bien. J'ai moi-même été choqué, en 1968, en entendant certains réfugiés du printemps de Prague — Ota Sik et d'autres — qui évoquaient la nécessité d'alliances très larges. Je pensais qu'ils allaient trop loin : l'expérience m'a appris qu'ils voyaient juste.

La base du parti a senti l'importance de ces alliances avec le centre et la droite pour affronter la dictature communiste beaucoup plus rapidement que les dirigeants, parfois prisonniers de leurs analyses et de leurs préjugés.

---

1. Armée de libération du Portugal, organisation clandestine créée après le départ du général Spinola.

A Porto d'abord, à Faro ensuite et enfin à Lisbonne, le peuple a fait entendre sa volonté : les communistes et leurs alliés n'étaient plus maîtres de la rue. Ils ont alors voulu intimider ceux qui manifestaient leur hostilité aux aventures antidémocratiques : au cours du rassemblement de Lisbonne, ils chargèrent la police militaire, gagnée à leur cause, de provoquer la foule en propageant des rumeurs, des alertes à la bombe, et en jetant des grenades lacrymogènes.

Mais cela ne suffisait pas : il leur fallait reprendre l'initiative. C'est alors qu'ils lancèrent la mobilisation des ouvriers du bâtiment. Ils avaient bien choisi leur cible : toute autre catégorie de travailleurs aurait immédiatement mis à nu la manipulation qui consiste à avancer des revendications irréalistes pour dissimuler une opération directement politique. Si on avait dû appliquer ce qu'ils demandaient — cinquante pour cent d'augmentation — un tiers des entreprises auraient fait faillite! Mais ce secteur du prolétariat, souvent le plus pauvre, est aussi le moins conscient politiquement : il est facile de lui faire croire que tout est possible à condition de « savoir s'y prendre ». Et si les ouvriers ne savaient pas très bien, les communistes et les gauchistes étaient là pour leur montrer le chemin.

D. P. — *Un chemin qui mène au palais de São Bento, lourde bâtisse à la façade prétentieuse, qui abrite l'assemblée constituante et la résidence du Premier ministre.*

M. S. — C'était le jour de ma première intervention à l'assemblée[1]. J'avais expliqué pourquoi mon parti s'op-

1. Élu député le 25 avril 1975 sur les listes de son parti Mario Soares ne pouvait occuper son siège à l'assemblée tant qu'il était membre du gouvernement. Il ne l'a occupé en fait qu'à partir du mois d'octobre 1975.

posait à une reconnaissance unilatérale immédiate du M.P.L.A. et je regagnais ma place quand on est venu me dire qu'il y avait une importante manifestation des ouvriers du bâtiment devant le palais. Je suis allé à une fenêtre et je me suis aperçu qu'une véritable milice para-militaire, qui encadrait les manifestants, était en train de prendre certaines positions-clés près des issues. J'ai tout de suite imaginé la suite : encerclement, ultimatum, chantage, etc., et j'ai jugé préférable d'être dehors au moment où cela arriverait. Je suis donc sorti discrètement par la porte du jardin qui, dix minutes plus tard, était à son tour bloquée. Depuis le siège du parti, j'ai alors téléphoné au Premier ministre qui m'a avoué son impuissance : la police de ville était trop faible, la garde nationale républicaine avait été désarmée, la police militaire était contrôlée par les gauchistes, et les autres unités militaires de Lisbonne ne voulaient pas bouger. Le président de la République, pressé d'agir, a répondu qu'il n'avait pas de force pour se faire obéir. Le pouvoir était tombé dans la rue, aux mains d'une poignée d'agitateurs...

A l'intérieur du palais, le Premier ministre et les députés étaient traités comme une vulgaire piétaille. On leur a refusé de la nourriture et un parlementaire du P.P.D., un homme assez âgé, a été victime d'un malaise sans que cela émeuve les assaillants. Seul le député gauchiste [1] allait et venait, libre de ses mouvements. Les communistes avaient aussi des contacts permanents avec l'extérieur et, forçant la porte du local de leur groupe parlementaire, certains députés les ont trouvés en train d'avaler des sandwiches au poulet : ils étaient eux bien organisés...

---

1. Les élections portugaises, effectuées au scrutin de liste proportionnel ont permis à l'Union démocratique populaire (U.D.P.) d'avoir un député.

D. P. — *N'a-t-on pas fait appel, une fois encore, à Jaíme Neves, l'homme du dernier recours?*

M. S. — Oui, mais il a posé ses conditions : « Je suis disposé à intervenir, a-t-il dit à l'amiral Pinheiro de Azevedo qui l'avait appelé, mais je ne m'arrête pas à São Bento. Je fais ensuite le tour des journaux, des radios et de la télévision car je ne tiens pas à me faire encore insulter et qualifier de sale fasciste par cette presse aux ordres des communistes. Si vous me laissez nettoyer tout ça, c'est parfait. Sinon, je ne bouge pas... » Comme personne n'a eu le courage de lui donner cet ordre, il est resté dans sa caserne. Après des heures de conciliabules, de discours et de pressions, le Premier ministre a annoncé que les entrepreneurs acceptaient, à certaines conditions, les revendications salariales. Le siège a été levé. Il avait duré trente-six heures.

Face à une telle situation, certains députés ont proposé que l'assemblée et le gouvernement abandonnent Lisbonne où nul ne pouvait plus assurer le respect de l'autorité légitime, et se replient vers Porto. Nous n'étions pas d'accord mais lorsque nous avons appris que les communistes préparaient pour le dimanche suivant, 16 novembre, une nouvelle démonstration de force dans la capitale, il nous a paru opportun de réunir notre groupe parlementaire à Porto, ce qui constituait un clair avertissement au président de la République.

D. P. — *Vous disiez alors redouter une « insurrection... ».*

M. S. — A lire la presse inféodée au P.C., on avait toutes raisons de craindre qu'il veuille lancer une « commune de Lisbonne ».

D. P. — *En fuyant, ne rejoigniez-vous pas les « Versaillais? »*

M. S. — Ce n'était pas une fuite mais l'amorce d'une

191

résistance parmi les travailleurs et le peuple du Nord. Au delà de Rio Maior[1], on respirait et l'on pouvait organiser une contre-offensive à l'assaut que les communistes annonçaient depuis des semaines pour bien nous persuader qu'il était inévitable. Quand on voit Lisbonne paralysée, l'assemblée encerclée, le Premier ministre prisonnier et le chef de l'État avouant lui-même son impuissance, comment ne pas penser aux journées de 1917, aux bolcheviques maîtres de Petrograd? On jugeait donc très raisonnablement...

D. P. — *...qu'il était temps de lever l'armée blanche?*
M. S. — Ne plaisantez pas. C'est trop sérieux. Il fallait résister à cette aventure sans espoir de retour, à ce mauvais *remake,* pâle copie d'un théâtre d'épopée joué au début du siècle mais aujourd'hui tout à fait passé de mode.

D. P. — *Quand la nuit tombe, le dimanche 16 novembre sur Lisbonne, l'insurrection n'a pas éclaté. La capitale se repeuple.*
M. S. — Pourquoi l'insurrection n'a-t-elle pas eu lieu? Sans doute parce que la plupart des dirigeants non communistes étaient partis. Les putschistes ont compris qu'ainsi ils pourraient prendre Lisbonne mais seraient aussitôt encerclés et vaincus. Le P.C. ne voulait pas s'emparer du pouvoir dans de telles conditions. Un document, signé d'un officier nommé Golias (membre de la cinquième division) et qui, par une fuite, avait été publié dans certains journaux portugais, prévoyait l'assaut final pour la fin du mois de janvier. L'analyse était simple : la révolution est à mi-chemin, disait-elle, puisque la bourgeoisie est détruite mais que le prolétariat n'a pas encore

1. Voir chapitre XII.

pu occuper le pouvoir ; l'État se décompose, l'armée aussi grâce au travail de SUV ; vu les difficultés économiques, la situation sera mûre vers fin janvier pour porter l'estocade... Voilà de quoi on discutait dans certaines casernes.

D. P. — *Attribuez-vous sans l'ombre d'un doute ce document au P.C.?*

M. S. — Oui. Il correspond exactement à sa stratégie. La manifestation du 16 novembre était une étape importante qui lui permettait de montrer sa puissance et de préparer de nouvelles offensives en vue de modifier peu à peu le rapport de forces. Il voulait, dans un premier temps, rééquilibrer en sa faveur les organes du pouvoir et peser ensuite de façon décisive. C'est ce chemin qu'il fallait lui barrer au plus vite en mettant l'armée devant ses responsabilités. Pour cela il n'y avait de meilleur moyen que de décréter « la grève du gouvernement ».

D. P. — *Qui a eu cette idée originale?*

M. S. — Elle ne l'est pas tant que cela. Nous, socialistes, avions déjà montré que c'était possible et efficace. L'idée a germé au cours d'un déjeuner entre quelques ministres militaires — Melo Antunes, Vitor Crespo, Vitor Alves — et moi-même. Nous étions tous conscients que le gouvernement ne pouvait plus continuer à travailler au milieu de cette anarchie. Certains proposaient la démission collective : j'étais contre, car c'était donner satisfaction aux communistes qui n'attendaient rien de plus. Mais il fallait absolument créer un choc psychologique. Quelqu'un a alors suggéré de reprendre la tactique des socialistes en juin et de faire grève. Melo Antunes doutait un peu que ce fût la bonne solution. J'ai offert d'en parler aux ministres civils pour connaître leur position : elle fut unanimement favorable. L'amiral Pinheiro de Azevedo a donc convoqué le gouvernement qui a voté la grève, à l'exception du ministre communiste, bien sûr.

Surpris, le P.C. a engagé une campagne de presse hystérique. Il était indispensable de remobiliser le peuple portugais qui devait, une fois encore, crier sa volonté, exiger qu'on mette fin à la pagaille et que l'on donne au gouvernement l'autorité nécessaire pour diriger le pays : les socialistes, seuls, ont mis sur pied douze manifestations simultanées dans les principales villes.

D. P. — *En oubliant Beja, Evora et Setubal, fiefs du P.C., redoutiez-vous la concurrence?*

M. S. — Pas du tout, mais nous voulions éviter les affrontements qui, surtout dans l'Alentejo, n'auraient pas manqué de se produire. Car nos propres militants étaient prêts à se battre : j'ai fait moi-même la tournée des sections de la région de Lisbonne avant la concentration du dimanche 23 et j'ai pu me rendre compte de leur détermination. Partout où j'arrivais, je n'entendais qu'un cri : « Nous voulons des armes pour lutter contre les communistes qui, eux, ont des milices... »

Mais le samedi matin, j'étais appelé par le président de la République. Le général Costa Gomes m'a reçu pendant deux heures et demie et, d'emblée, m'a dit : « Vous voyez bien, il n'y a plus d'autre possibilité qu'un gouvernement P.S.-P.C. » J'ai répondu que nous rejetions énergiquement cette solution car elle convenait seulement aux intérêts des communistes, s'inscrivait dans leur plan pour s'emparer de l'État et écraser tous ceux qui tenteraient de s'y opposer. J'ai rapporté au président l'impression que m'avaient produite mes visites aux sections socialistes et je lui ai réaffirmé notre ferme volonté de résister. « Bien, me dit-il, je suis tout de même obligé de vous faire asseoir à la même table que M. Cunhal pour discuter de tout

cela... » J'ai de nouveau refusé net : « Si je parle avec
M. Cunhal aujourd'hui que les ministres sont en grève,
ai-je expliqué, je contribue à enterrer le gouvernement
alors que je veux le sauver et rester fidèle à l'amiral
Pinheiro de Azevedo. » Mon attitude lui a, croyez-moi,
fait quelque effet.

D. P. — *Pourquoi le président préconisait-il encore une alliance
préférentielle P.S.-P.C.?*
M. S. — Parce qu'il était prêt à laisser tomber le sixième
gouvernement et à en former un septième, au gré des
communistes, dernière étape dans l'escalade vers le pouvoir suprême.

D. P. — *Le général Costa Gomes était-il donc complice du
P.C.?*
M. S. — Je vous laisse la responsabilité de l'interprétation. Mais il est vrai que beaucoup de gens l'ont pensé et,
parmi eux, nombre de socialistes qui, au cours des manifestations du dimanche, ont critiqué le comportement
pour le moins ambigu du président. Ces rassemblements
populaires ont été de grands succès. Le P.C., cette fois, n'a
pas osé dresser de barricades. Mais il a voulu contre-
attaquer dès le lendemain en organisant deux heures de
grève dans les usines de la ceinture industrielle de Lisbonne pour exiger la démission du gouvernement. Échec
cuisant : il n'a pu, comme il le prétendait, paralyser le
travail dans la région.
La nouvelle riposte, dans ce duel acéré dont le pouvoir
était l'enjeu, est venue de Rio Maior où des milliers de
paysans mécontents ont érigé des barrages sur les routes
et les voies ferrées, coupant le pays en deux et menaçant
d'interrompre l'approvisionnement de la capitale en eau
et en électricité. Ils ont envoyé un ultimatum au Conseil

de la Révolution qui était réuni à la même heure et ont obtenu satisfaction sur tout ce qu'ils demandaient.

D. P. — *Était-ce une manifestation progressiste ?*

M. S. — Là n'est pas le problème. Les paysans se révoltaient contre l'application anarchique et injuste de la réforme agraire et montraient qu'ils étaient, eux aussi, décidés à en finir avec la pagaille qui menait le Portugal à la ruine. Ils ont impressionné le président de la République. Ce n'est sans doute pas leur moindre mérite.

CHAPITRE XV

Le mirage du « grand soir »

Dominique POUCHIN. — *Le 25 novembre 1975, à sept heures du matin, quelques centaines de parachutistes, soulevés depuis plusieurs jours contre leur commandement, occupent « pacifiquement » quatre bases aériennes. A Monsanto, dans la banlieue de Lisbonne, ils contrôlent le Q-G de la 1re région aérienne et retiennent prisonnier le général Pinho Freire, chef d'état-major adjoint de l'armée de l'air. Les mutins, qui se plaignent d'avoir été manipulés en diverses circonstances* [1], *exigent la destitution du haut-commandement de l'aviation. Lutte revendicative disent les uns, sédition et coup d'État affirment les autres. Était-ce vraiment l'aube d'un « grand soir » avorté?*

Mario SOARES. — Quand des camarades m'ont réveillé ce matin-là pour m'informer des événements, je n'ai pas eu le moindre doute : l'aventure avait commencé. Les paras de Tancos n'étaient que l'avant-garde des séditieux, comme la suite devait le montrer. Trois mois plus tard, je n'ai pas changé d'avis : il y a bien eu une tentative de coup

---

1. Les parachutistes de la base-école de Tancos avaient été utilisés une première fois par les auteurs du « coup » du 11 mars pour attaquer le RALIS (voir chapitre VIII). Ils avaient encore été chargés, au mois de novembre, du dynamitage de l'émetteur de Radio-Renaissance à Lisbonne, ordonnée par le Conseil de la Révolution.

d'État le 25 novembre, dont l'objectif était la prise du pouvoir.

Il suffit, pour s'en persuader, de rappeler le climat artificiellement créé à Lisbonne dans les semaines qui ont précédé : la presse pro-communiste, la radio et la télévision préparaient l'opinion et tentaient de lui faire admettre qu'une insurrection armée était nécessaire, que la situation était mûre pour une « deuxième phase de la révolution portugaise qui balaierait les institutions périmées de l'État bourgeois et leur substituerait un pouvoir populaire légitime dont les organes étaient d'ores et déjà prêts à fonctionner... » Les « stratèges » de la cinquième division et leurs comparses gauchistes jugeaient le moment venu de donner une brusque accélération au processus et de faire le « grand saut vers le socialisme ». Certes, *Avante* adoptait un ton plus prudent bien qu'encore triomphaliste mais ce n'était qu'une tactique pour « dédouaner » la direction du P.C. en cas d'échec.

Quand, à l'aube du 25 novembre, éclate la révolte des paras, il est facile de comprendre que les aventuriers, fidèles à leurs promesses, ont engagé la phase préliminaire de l'insurrection. Dernier acte, scène un, d'un drame dont dépend le sort de millions de Portugais...

D. P. — *Les cibles choisies ne sont pourtant pas stratégiquement décisives et les paras ne feront rien d'autre de toute la journée, se contentant de publier un communiqué qui expose les raisons de leur mouvement et précise leurs revendications.*

M. S. — Mais les « bérets verts » ne sont pas seuls. Ils sont aussitôt soutenus par d'importantes unités de la capitale : la police militaire, le RALIS qui sort ses armes lourdes et l'école pratique d'administration militaire (EPAM) qui va occuper les studios de la télévision.

D. P. — *Ces régiments avaient leurs propres motifs de mécontentement : dans la nuit, le Conseil de la Révolution avait décidé de leur « enlever » Otelo et de nommer à sa place, pour commander la région militaire de Lisbonne (R.M.L.), le capitaine Vasco Lourenço, ami de Melo Antunes.*

M. S. — C'est vrai, mais tous ont travaillé de connivence avec les parachutistes. L'EPAM, maîtresse de la télévision avec la complicité de la cellule du parti communiste, les a même invités à s'adresser au peuple et l'on a vu, sur le petit écran, un caporal et un sergent s'arroger le « droit révolutionnaire » de destituer les chefs de l'armée de l'air! La prise de la télévision montre bien d'ailleurs, à elle seule, l'ampleur de la conspiration : on ne s'empare pas d'un organe aussi stratégique pour manifester simplement sa « mauvaise humeur » ou se plaindre de ses supérieurs hiérarchiques. Les rebelles ont arrêté le major Pedroso Marques qui dirigeait la R.T.P. et l'ont gardé plusieurs heures sous la menace de leurs armes. Les communistes ont « neutralisé » les travailleurs — et parmi eux des socialistes — qui, à la régie et dans les studios, ne soutenaient pas le putsch. Un capitaine barbu est venu devant les caméras parler d'insurrection et de « pouvoir populaire ». N'est-ce pas suffisant?

D. P. — *On ne se lance pas dans un coup d'État sans commandement unifié. Où est le chef du 25 novembre?*

M. S. — Les mutins espéraient qu'Otelo de Carvalho marcherait avec eux et accepterait de diriger les opérations. Les officiers du COPCON ont tout fait pour le retenir et le pousser en avant. Le matin d'abord : Otelo fatigué par une nuit de veille au Conseil de la Révolution préfère aller se coucher; puis au début de l'après-midi, mais le général, après quelques hésitations, défère finalement à l'ordre du président de la République qui l'appelle à Belém[1]. Le coup est rude mais la partie n'est pas perdue : des hommes de la cinquième division s'installent alors au COPCON et commencent à donner des consignes à droite et à gauche pour coordonner l'offensive. A leur tête, le colonel Varela Gomes.

D. P. — *Quels ordres Varela Gomes a-t-il donnés ? Quelles preuves a-t-on pour affirmer qu'il a eu un rôle de premier plan ?*

M. S. — On retrouve là un problème très semblable à celui que pose le départ du général Spinola, après le coup manqué du 11 mars. Nul n'a pu établir la part exacte de responsabilités de l'ancien président dans cette triste affaire et il ne s'en est pas franchement expliqué. Comme lui, Varela Gomes a préféré s'enfuir plutôt que de répondre aux questions de la justice.

D. P. — *Sa fuite en fait-elle un coupable ?*

M. S. — Je n'ai jamais prétendu cela. Je ne suis ni juge, ni militaire mais socialiste, défenseur des droits de l'Homme et, qui plus est, avocat. Je n'ai donc aucune propension à accuser sans preuves. Varela Gomes encore moins qu'un autre car je connais et je respecte son passé de combattant antifasciste : j'ai milité avec lui dans la clandestinité, j'ai plaidé dans son procès après le coup de Beja, en 1961[2]. Nous avions donc des rapports cordiaux et fraternels que ses dix années de prison n'ont pas distendus. Je l'ai très peu vu après le 25 avril mais je sais qu'il est fermement intervenu au cours d'une de ces assemblées folles du M.F.A. pour répliquer à quelqu'un qui avait osé demander ma tête.

Pour toutes ces raisons, je ne jouerai pas au procureur :

1. Palais présidentiel.
2. Voir note page 80.

c'est à lui de se défendre, de dire pourquoi il est en fuite et de raconter ce qui s'est passé. Mais les militaires qui, ce jour-là, étaient de l'autre côté de la barricade pour riposter aux insurgés assurent que Varela Gomes a pris la tête du mouvement : ils sont mieux informés que moi. Le président de la République me l'a confirmé, estimant d'ailleurs que cela avait desservi les rebelles car Varela, personnalité souvent contestée dans les forces armées, ne pouvait guère gagner les hésitants à leur cause.

Qu'il y ait eu un « grand chef » est peut-être contestable mais il est évident que des ordres précis sont partis du COPCON, tout au long de la journée du 25 : les uns pour enjoindre à certaines unités d'aller renforcer les paras, les autres pour « armer le peuple » invité à se présenter aux portes des casernes et les derniers, — de loin les plus pressants —, pour faire sortir les fusiliers marins, attentistes dans leurs cantonnements sur la rive sud du Tage. Voilà assez de preuves qu'une conspiration était tramée contre le pouvoir légal.

D. P. — *Mais tout cela se déroule dans le désordre et l'improvisation. Il faut être naïf pour se lancer dans un coup d'État en « espérant » qu'un homme voudra bien le diriger. Il faut être léger pour compenser sa défection, à la dernière minute, en confiant les opérations à un chef dont on se doute qu'il ne sera pas suivi par tous. Il faut être inconscient pour ne pas s'être, auparavant, assuré du soutien décisif des fusiliers marins. Où est le plan ? Où est la coordination ? Quel est le programme ? Quel est l'objectif ?*

M. S. — Vous raisonnez en bon Français avec une logique cartésienne totalement inadéquate pour comprendre ce qui se passe, dans les moments chauds, au Portugal. J'ai participé à quelques complots, j'en ai vu beaucoup d'autres : tous avaient au début cette allure anarchique presque inévitable.

D. P. — *Sauf le 25 avril 1974.*

M. S. — Même celui-là : on n'a pas prêté attention aux bavures parce qu'il n'a rencontré aucune résistance et que la victoire a effacé le déroulement exact des faits mais on aurait tort de croire à l'image d'Épinal d'un coup minutieusement coordonné et exécuté en respectant à la lettre un plan techniquement parfait. Or, le 25 novembre a mis en branle plus d'unités, a provoqué davantage d'opérations militaires que le soulèvement des capitaines d'avril. C'était un assaut très sérieux et ses auteurs n'ont pas hésité à engager le maximum de forces.

Le désordre apparent servait seulement à camoufler les intentions du parti communiste qui porte la responsabilité essentielle de l'affaire. Ce sont ses militants qui ont agi à la télévision; ce sont ses hommes de main qui ont tenté de barrer des routes et d'entraver ainsi la progression des forces loyalistes, en utilisant des bétonnières d'entreprises nationalisées comme *J. Pimenta* et *Esteves,* reliées entre elles par des postes émetteur-récepteur. La fraction militaire du P.C. — allant peut-être au-delà des consignes de la direction — a mené les opérations mais elle ne pouvait agir seule : il lui fallait Otelo dans son jeu. Tâche ardue car le chef du COPCON n'était pas tendre pour les communistes et avait déjà contribué à la chute de Vasco Gonçalves. Pour le P. C., Otelo devait être l'homme de paille qu'on utilise au moment opportun et dont on se débarrasse dès qu'il devient gênant. Avec lui, les communistes et leurs féaux de la cinquième division, étaient assurés de faire marcher les gauchistes mais ils devaient rester prudents, en retrait, et donc éviter de mettre en place une coordination trop visible. Sinon, les gauchistes auraient vu la manœuvre et se seraient bien sûr abstenus de bouger pour le compte du P.C. Pour réussir, les véritables instigateurs du coup étaient contraints de lui garder cet aspect spontané et improvisé. Ils ont pris le risque, ils doivent aujourd'hui en assumer toutes les conséquences.

L'objectif de Cunhal et de ses adjoints directs n'était peut-être pas la prise immédiate du pouvoir : ils voulaient faire tomber le gouvernement, entamer l'hégémonie des démocrates au sein du Conseil de la Révolution, et récupérer dans l'appareil d'État les places fortes que l'assemblée de Tancos leur avait fait perdre. C'était donc une phase de préparation avant l'assaut programmé pour la fin janvier. Mais, après tout, s'ils ne s'étaient heurtés à aucune opposition, ils seraient probablement allés plus loin, poussés par les gauchistes et soucieux de ne pas se laisser déborder et dérober ainsi le fruit de leur travail.

D. P. — *On ne comprend plus alors la passivité des fusiliers marins, unité d'élite commandée par des officiers très proches du P.C. Pourquoi, à l'heure où les rebelles semblent encore avoir le vent en poupe, des leaders de la ligne gonçalviste — tels Rosa Coutinho ou Martins Guerreiro*[1] *vont-ils ordonner aux fusiliers de ne pas s'engager, neutralisant ainsi une force essentielle pour la victoire de la gauche militaire?*

M. S. — Là, jouent fortement les opportunistes, les motivations personnelles, le manque de conviction ou de courage de certains. Il est plus facile d'imaginer un plan que de le faire appliquer par des hommes qui, à l'instant où il faut agir, hésitent parfois à mettre leur situation en jeu. Bon nombre ont dû s'interroger en constatant le peu d'empressement des masses populaires à répondre aux appels pathétiques lancés à la radio et à la télévision. Non, le 25 novembre ne ressemblerait pas au 25 avril : il n'y avait ni joie, ni fête, ni œillets. Mieux valait donc res-

1. Le commandant Martins Guerreiro est le dernier représentant gonçalviste au Conseil de la Révolution après les limogeages opérés à la suite du 25 novembre.

ter chez soi et attendre. A quoi bon une aventure où l'on risquait de tout perdre? Je sais par expérience les hésitations, les idées contradictoires, les angoisses qui vous prennent avant de faire le dernier pas. Il y avait ce jour-là beaucoup trop de raisons d'hésiter.

C'est cela qu'ont compris des officiers comme Rosa Coutinho et Martins Guerreiro. Ils étaient restés longtemps à Belém, dans l'entourage immédiat du président de la République : ils connaissaient la situation, savaient ce qui se préparait de l'autre côté pour défendre l'État. Ils ont très vite senti que ce ne serait pas une plaisanterie, mais que l'on risquait un affrontement très grave si les *fuzas*[1] entraient dans la rébellion. Ils ont eu peur d'un combat sanglant, des milliers de morts possibles, de la guerre civile que cela entraînait fatalement.

D. P. — *Vous avez souvent dit, après ces journées fatidiques, que le P.C. n'avait fait machine arrière que le 26 novembre à trois heures du matin. Était-il assez inconséquent pour neutraliser lui-même, douze heures plus tôt, l'unité qui pouvait lui assurer le succès?*

M. S. — Toute la tactique des communistes est fondée sur le chantage. Ils déclenchent une campagne, intoxiquent l'opinion, sèment la panique et cherchent à faire reculer l'adversaire. Ils pensent que l' « ennemi » abandonnera le terrain sans qu'eux-mêmes aient besoin d'avancer et de dévoiler leurs forces. C'est ainsi qu'ils ont agi — et marqué bien des points — depuis le 25 avril 1974, pourquoi cela n'aurait-il pas continué? Les *fuzas* étaient pour eux une réserve stratégique à n'utiliser qu'en cas d'extrême nécessité. Ils ne l'ont pas sortie. Pourquoi? Ont-ils rencontré des résistances inattendues? Leurs ordres n'ont-ils pas été suivis? Ont-ils surestimé leur contrôle sur l'unité? Je ne

1. Abréviation portugaise pour fusiliers marins.

sais pas, mais il est surtout très vraisemblable qu'ils avaient sous-estimé le degré de préparation et de détermination de l'adversaire.

D. P. — *L'adversaire, c'est d'abord un état-major opérationnel de crise qui, dès le matin du 25 novembre, s'installe à Amadora, dans la caserne des « commandos », et fonctionne aussitôt sous les ordres du lieutenant-colonel Ramalho Eanes, un officier discret mais efficace, ami des « Neuf ». Là, rien n'est improvisé : qui donc croirait que cet état-major est né d'une génération spontanée?*

M. S. — Personne, évidemment. Des gens conspiraient depuis plusieurs mois et ne cachaient pas leur intention de prendre le pouvoir par la force. A moins d'être fous, les militaires démocrates devaient préparer leur riposte dans les meilleures conditions, échafauder des plans de résistance qui répondent aux diverses possibilités d'attaque. Leur propre vie était en jeu : si le coup avait réussi, ils auraient tous été arrêtés, emprisonnés, et peut-être fusillés. Ils avaient donc quelques bonnes raisons de se défendre et comme ce sont des officiers sérieux et compétents, ils se sont efforcés de ne rien laisser au hasard. Qui oserait leur reprocher?

D. P. — *Prêt à riposter, l'état-major de crise n'a-t-il pas — mieux encore — choisi l'heure et le terrain de l'affrontement? En décidant d'écarter Otelo de Carvalho du commandement de la région militaire de Lisbonne (R.M.L.) les « modérés » savaient qu'ils provoqueraient une vive réaction des diverses unités de la capitale. Cela ne les a pas arrêtés : n'étaient-ils pas, en fait, résolus d'engager la bataille, quel qu'en soit le prix?*

M. S. — Il convient, sur ce point, d'être très nuancé. Il y avait une épreuve de force dans l'air. Les gauchistes multipliaient les provocations et les discours incendiaires,

juraient de débarrasser la révolution de ceux qui la freinaient et d'expulser les « réactionnaires » des casernes...
Le P.C., lui, ruminait sa rancœur depuis le *pronunciamiento* de Tancos et attendait la première occasion pour refaire le terrain perdu. De tous côtés on se préparait donc à la confrontation et la presse en parlait chaque jour sans la moindre pudeur.

La grève du gouvernement a mis le Conseil de la Révolution devant ses responsabilités : les partis majoritaires ne voulaient plus diriger le pays si on ne leur donnait pas les conditions de le faire. Il leur manquait l'autorité nécessaire pour s'imposer, essentiellement à Lisbonne où les forces armées, au lieu de jouer leur rôle de bouclier de l'ordre, favorisaient l'agitation d'éléments troubles et contestaient la légitimité du pouvoir. Les responsables militaires ne pouvaient satisfaire les exigences naturelles du gouvernement sans entreprendre un grand nettoyage à la direction de la R.M.L.[1] : dans ce sens, en effet, ils ont dû prendre l'initiative et tenter d'imposer la nomination d'un nouveau commandant. Devant l'hostilité que suscitait cette décision, le président de la République a accordé un « sursis » de trois jours au terme duquel la question devait être une nouvelle fois envisagée.

D. P. — *Délai providentiel pour mettre au point les derniers éléments du plan de riposte...*
M. S. — Délai aussi pour nous socialistes qui avons organisé ce week-end-là nos douze manifestations simultanées. Délai enfin pour les aventuriers de la pseudo-gauche militaire : s'ils avaient gagné, on aurait dit qu'ils avaient su merveilleusement profiter du sursis qu'un pouvoir inconsistant avait eu l'imprudence de leur laisser.

1. Région militaire de Lisbonne.

Ou bien il faut admettre que les communistes et les gauchistes sont des imbéciles qui ont lancé une campagne insensée pour annoncer l'insurrection et ont finalement sorti trois ou quatre régiments pour le seul plaisir de se montrer ! Il n'y a pas eu de guet-apens, ni politique, ni militaire : des gens se sont soulevés pour prendre le pouvoir et, malgré les moyens énormes dont ils disposaient, ont été vaincus. Voilà la vérité.

D. P. — *Avez-vous craint qu'ils s'emparent réellement du pouvoir ?*

M. S. — Les insurgés étaient en mesure de s'assurer le contrôle de la capitale et d'y installer leur « commune ». Il aurait alors fallu un véritable siège pour la leur reprendre. Nous étions parfaitement informés de tout ce qui se passait grâce à nos sections et à nos militants isolés qui s'étaient très vite transformés en « agents de renseignements ». J'ai eu moi-même divers contacts importants avec des militaires proches de l'état-major opérationnel d'Amadora et j'ai maintenu un rapport étroit avec la présidence de la République.

D. P. — *Quelle fut l'attitude du général Costa Gomes ?*

M. S. — Je ne dispose que d'informations fragmentaires. Bien des points sont encore obscurs et je n'ai pu reconstituer complètement le puzzle de cette journée. Je n'ai donc pas tous les éléments nécessaires pour juger de la tactique adoptée d'heure en heure par le président. Apparemment, il est resté dans son palais du côté des partisans de l'ordre. Ce jour-là, il n'a rien fait ni rien dit qui laisse entrevoir une sympathie quelconque pour les forces rebelles.

D. P. — *Était-il disposé à négocier ?*

M. S. — Son comportement, avant le coup, était naturellement de négocier et de passer des compromis qui finissaient toujours par profiter aux communistes. A-t-il cherché, ce matin-là encore, à éviter la confrontation en trouvant un biais? Il est sûr qu'à partir de seize heures trente, le 25 novembre, heure à laquelle il décrète l'état d'urgence, ses ordres sont clairs : mater la révolte si les putschistes refusent de se rendre. Qu'a-t-il fait avant? Pourquoi a-t-il attendu jusqu'au milieu de l'après-midi? Peut-être répondra-t-il un jour lui-même. Ce sont des questions que se pose le peuple portugais, et moi aussi.

D. P. — *La prise de position ferme du chef de l'État a-t-elle eu une incidence immédiate sur la suite des événements?*

M. S. — Elle a incontestablement pesé d'un très grand poids, car elle enlevait toute légitimité aux insurgés. Mais vers dix-huit heures, on pouvait encore craindre le pire. Un officier m'a prévenu que le rapport de forces militaires restait indécis : l'attitude des *fuzas* n'était pas déterminée et les avions chargés de bombarder Monsanto s'étaient contentés de survoler la base en rase-mottes.

J'ai pris alors l'initiative de réunir d'urgence les responsables du parti avec les ministres et secrétaires d'État socialistes. Après une analyse brève mais précise de la situation, nous avons décidé de diviser la direction et d'envoyer quelques dirigeants, dont moi-même, à Porto pour organiser, en cas de nécessité, la résistance à la dictature communiste. Je suis parti avec ma femme, Manuel Alegre et Jorge Campinos par des routes secondaires afin d'éviter les barrages éventuels sur l'autoroute du Nord. A partir de Caldas de Rainha, nous avons pris contact avec nos sections locales qui étaient sur le pied de guerre et, de Leiria, nous avons appelé le siège du parti à Lisbonne. Les nouvelles étaient bonnes : les commandos venaient de reprendre Monsanto sans coup férir et les fusiliers n'avaient pas bougé.

Nous avons senti que tout rentrait dans l'ordre quand la radio a commencé à émettre de Porto. Entre deux lectures d'un communiqué de l'état-major général, on diffusait des fados et des chansons populaires qui avaient disparu du répertoire depuis près d'un an : le Portugal retrouvait son identité. Arrivé à Porto au milieu de la nuit, j'ai pu parler avec le général Pires Veloso, commandant de la région militaire du Nord, qui se gardait d'être trop optimiste. Le 26 novembre au matin, j'ai eu le Premier ministre au téléphone : lui paraissait au contraire très confiant et estimait que la partie était gagnée. Nous sommes cependant restés toute cette journée dans la capitale du Nord où nous avons, en moins de trois heures, convoqué et organisé une manifestation de soutien aux forces loyalistes et au sixième gouvernement.

D. P. — *A l'occasion de ce rassemblement, vous avez prononcé un discours qui dénonçait violemment la responsabilité majeure des communistes dans le putsch manqué. A la même heure, devant les caméras de la télévision, le major Melo Antunes, loin d'impliquer le P.C. dans cette aventure, expliquait que sa participation aux affaires de l'État était indispensable si l'on voulait construire le socialisme. Ne parliez-vous déjà plus le même langage?*

M. S. — Il y a, c'est évident, une différence de ton, car, à ce moment précis, nos optiques étaient différentes. Les déclarations de Melo Antunes ont provoqué beaucoup de remous parmi les vainqueurs du 25 novembre et lui-même a corrigé un peu ses appréciations. Il ne pourrait plus aujourd'hui, sachant ce que l'on sait, blanchir le P.C. comme il a tenté de le faire. N'avait-il pas d'ailleurs, trois jours avant le coup, dénoncé dans une interview au *Nouvel Observateur* le complot communiste qui se tramait?

D. P. — *Comment expliquez-vous son revirement?*

M. S. — Il a voulu éviter que le 25 novembre n'ouvre

la voie à une dynamique de droite et favorise un anticommunisme primaire où s'est immédiatement jeté Sá
Carneiro. Son souci, légitime, était de préserver les
chances du socialisme et pour cela, il a jugé préférable de
ménager le P.C. C'est un réflexe de gauche, peut-être
exagéré, mais salutaire car il a démontré qu'il n'était pas
question de revenir sur les acquis de la révolution. Melo
Antunes a été plus heureux dans d'autres apparitions
publiques mais il a, en cette circonstance, contribué à
contenir la pression naturelle de la droite.

D. P. — *Ce que vous avez oublié de faire dans votre discours
de Porto?*

M. S. — Vous exagérez. Nous aussi nous avons en
toutes circonstances des réflexes de gauche. Il est maintenant démontré que la fermeté du parti socialiste portugais et son inlassable combat contre l'aventurisme du
P.C. ont sauvé non seulement le Portugal mais aussi toute
la gauche européenne. Si Lisbonne avait connu un coup
de Prague, c'est l'avenir de la démocratie en Espagne qui
se trouvait brusquement remis en cause et les chances des
forces progressistes en Europe qui étaient mises à mal.

CHAPITRE XVI

Relever le pays

Dominique POUCHIN. — *On dit souvent que le 25 novembre fut un « 11 mars à l'envers ». L'échec des spinolistes avait entraîné une brusque accélération de la révolution. La déroute de la gauche militaire n'a-t-elle pas déjà provoqué un freinage si brutal que le dérapage est désormais incontrôlable ?*

Mario SOARES. — Le 25 novembre a sauvé la révolution. Si la folle aventure des communistes et des gauchistes avait réussi, l'histoire du Portugal se serait enrichie d'une « commune de Lisbonne » mais aussi d'une guerre civile : les insurgés auraient tenu un mois, peut-être plus, avant d'être massacrés. Et mon pays aurait alors subi la botte de nouveaux dictateurs, avides de vengeance et de pouvoir.

Sur la route de Porto, ce 25 novembre au soir, je songeais, angoissé, à notre proche avenir : où nous menait cette nouvelle résistance au totalitarisme ? J'imaginais des lendemains douloureux : la dissidence de nos îles atlantiques[1] et surtout le pays coupé en deux par la ligne du Tage. Un combat fratricide qui ruinerait les espoirs de la gauche pour plus d'une décennie : une « guerre

1. Les Açores et Madère.

d'Espagne » peut-être où nous-mêmes, socialistes, devien-
drions la cible des ultras... Tout pouvait basculer : qui
empêcherait l'ELP de regrouper ses bataillons aux frontières pour envahir l'Alentejo? Qui s'opposerait à un
débarquement de Spinola en Algarve? Les rancœurs et
les haines rompraient les digues du fragile équilibre que
nous avions tenté de construire.

Mais, au pied du mur, nous n'avions plus le choix : il
fallait résister, quels que soient les moyens, et s'allier à
tous ceux qui voulaient combattre la dictature des communistes. Heureusement, le drame a pu être évité : le
25 novembre a d'un seul et même coup étouffé les vel-
léités suicidaires de l'extrême-gauche et coupé l'herbe
sous les pieds de l'extrême-droite. La démocratie est sortie victorieuse et renforcée de l'épreuve.

D. P. — *Un coup chasse l'autre : les prisons se vident et se
remplissent. On en est aujourd'hui à créer des associations pour
la défense des « révolutionnaires antifascistes emprisonnés ».
Cela ne rappelle-t-il pas un passé encore proche?*

M. S. — « Antifascistes emprisonnés » : c'est un slogan
abusif de la propagande du P.C. Ces gens ne sont pas détenus parce qu'antifascistes — ce qu'ils ne furent pas tous,
loin de là — mais pour s'être soulevés contre un gouvernement démocratique de gauche et avoir tenté d'imposer
une dictature militaro-communiste : leur aventurisme
nuisible objectivement contre-révolutionnaire en a fait
des ennemis de la révolution.

D. P. — *L'éviction de certains personnages qui, à leur manière,
ont pendant de longs mois incarné une certaine idée de la révolution portugaise vous semble-t-elle positive? Le limogeage du général Otelo de Carvalho par exemple, contribue-t-il au renforcement de la démocratie?*

M. S. — Malheureusement, oui. Car cet artisan du 25 avril, sympathique, idéaliste et généreux est aussi un homme versatile et inconséquent. Ouvert aux influences néfastes des gauchistes — et, sur la fin, des communistes — il a montré qu'il n'avait pas l'envergure indispensable pour assumer les lourdes responsabilités qui lui avaient été confiées. Il devait donc partir. Je le regrette, croyez-moi.

D. P. — *Et l'élimination du général Fabião* [1] *?*

M. S. — Il fut un ami de Spinola, un modéré partisan de l'ordre qui aurait pu exercer un rôle temporisateur quand la révolution commençait à s'emballer. Mais il a peu à peu abdiqué et a finalement perdu pied. Dans quelle armée au monde pardonnerait-on à un chef d'état-major d'avoir laissé agir des saboteurs? Fabião n'a rien fait quand des « soviets » semaient la gangrène dans le corps militaire : il paie maintenant le prix de sa pusillanimité.

D. P. — *Ceux-là s'en vont mais d'autres reviennent, qui avaient disparu depuis près d'un an. Parmi les « opérationnels » vainqueurs du 25 novembre, on retrouve en particulier le colonel Firmino Miguel* [2], *à peine rentré d'un « exil » angolais. Quelques jours après le coup, on annonce la nomination à des postes importants d'officiers « oubliés » comme le lieutenant colonel Almeida Bruno ou le major Manuel Monge. Le retour soudain de ces militaires connus pour être — ou avoir été — des fidèles du général*

1. Le général Carlos Fabião, chef d'état-major de l'armée de terre, a surpris les observateurs en prenant, à partir de la fin du mois d'août 1975, des positions favorables au « pouvoir populaire ».
2. Ministre de la Défense dans le premier gouvernement provisoire le colonel Firmino Miguel avait été pressenti par le général Spinola pour devenir Premier ministre lors de la crise de juillet 1974 (voir ch. IV). Les « Capitaines » s'y étaient opposés et Spinola avait finalement préféré Vasco Gonçalves à Melo Antunes qu'il jugeait trop... communiste.

Spinola, est-il un atout supplémentaire pour la démocratie?

M. S. — Ces hommes ont été victimes de graves injustices. On les a frappés d'indignité civique alors que ce sont des démocrates. Il était temps qu'on leur donne réparation des fautes commises contre eux. J'ai bien connu le colonel Firmino Miguel car j'ai siégé avec lui dans les trois premiers gouvernements provisoires : il y a toujours fait preuve d'un sens politique aigu et d'un respect inébranlable pour la démocratie. On l'a ensuite « déporté » en Angola pour le « brûler » dans une situation difficile et instable : il s'y est très bien comporté. Comment n'aurais-je pas confiance en lui? Le major Monge a subi sept mois d'emprisonnement après la lamentable affaire du 11 mars. On n'a jamais trouvé aucun motif pour l'inculper et l'on a été obligé de le libérer. J'ai parlé une nuit entière avec lui après cette pénible expérience : croyez-moi, c'est un homme qui force l'admiration. Il n'éprouve ni rancune, ni amertume et continue de croire en une révolution qui l'a si mal traité. Que tous ces officiers regagnent la place et les honneurs qui leur sont dus est signe que le pays se rétablit après des mois de convulsions et de désordre.

D. P. — *Que devient le M.F.A. après le 25 novembre?*

M. S. — Cette journée historique marque, dans une certaine mesure, le couronnement et la mort du M.F.A. qui retrouve son visage libérateur du 25 avril mais qui, embrassant désormais l'ensemble des forces armées portugaises, perd beaucoup de sa raison d'être. Les militaires en sont conscients et ont eux-mêmes proposé de renégocier le « pacte » signé avec les partis. Selon nous, le Conseil de la Révolution, structure dirigeante du M.F.A., doit cesser de gouverner le pays et seulement garantir à l'avenir l'indépendance nationale et le respect des institutions démocratiques. Le peuple est seul moteur de la révolution mais ses conquêtes ont besoin d'être protégées : le M.F.A. pourrait être cette « sentinelle » sur le chemin du progrès et de la démocratie. Une sentinelle mais non un « éclaireur » et encore moins une avant-garde.

On en vient finalement à une conception plus classique de la fonction militaire : seuls le regretteront ceux qui ont cru pouvoir utiliser le bras armé de l'État contre l'État lui-même. Les autres — c'est-à-dire les neuf dixièmes des Portugais — seront reconnaissants aux officiers progressistes d'avoir su à temps reconsidérer leur rôle et chasser des casernes les illusions dangereuses semées par les adeptes du totalitarisme. Le Conseil de la Révolution a eu le courage de proclamer une loi qui définit le cadre général d'une réorganisation de l'armée : le sigle M.F.A. n'y apparaît pas une fois. C'est déjà plus qu'un symptôme.

D. P. — *Le retour au modèle traditionnel ne comporte-t-il pas certains dangers ? Cette armée « normalisée » ne risque-t-elle pas, un jour, de se dresser contre une révolution qui irait trop loin à son gré ?*

M. S. — Contrairement à ce que l'on a souvent raconté, l'armée portugaise n'est ni plus ni moins progressiste qu'une autre. Bon nombre de militaires se sont tus quand leur voix aurait été trop discordante dans le flot des discours « révolutionnaires ». Aujourd'hui, ils commencent à se faire entendre : est-ce donc si périlleux ? Non, si nous savons dialoguer avec eux et leur montrer que l'idéal socialiste est synonyme de paix, de liberté, de justice et aussi d'ordre démocratique.

D. P. — *Les structures de base du M.F.A. dans chaque caserne ont disparu. Est-ce un premier pas vers une professionnalisation qui ferait de l'armée un corps indépendant de la nation ?*

M. S. — Les « assemblées d'unités » et autres groupes de « dynamisation[1] » ne furent jamais que des instruments dociles à la propagande de la cinquième division et ont aidé à la désintégration de notre armée. Leur disparition est donc une mesure de sagesse. Mais il faut en effet veiller à ce que les militaires ne constituent pas un ghetto en marge de la société. Une armée de métier, d'importance réduite, suffirait à nos besoins de défense et à garantir l'invulnérabilité de l'État. Reste, bien sûr, le danger qu'elle conspire contre la démocratie : nous en avons fait l'expérience puisque l'armée installa le fascisme sur les décombres de la première République. Il dépend seulement de nous que la tentation ne lui revienne pas. Si nous savons assurer une véritable stabilité, elle marchera, avec nous, dans le sens du progrès. Mais si nous sommes incapables de maîtriser la situation, de juguler l'inflation, de résoudre les problèmes quotidiens du peuple tout en imposant une saine austérité, alors l'agitation sociale se développera et la droite, devant les nouvelles menaces d'anarchie, demandera à l'armée de rétablir l'ordre sans grand égard pour la démocratie.

D. P. — *C'est donc sur le terrain économique et social que se jouera le sort de la révolution. Mais n'est-ce pas, dans ce domaine aussi, l'heure des remises en cause? La réforme agraire, d'abord, conquête mille fois invoquée dans les meetings et les défilés, est de plus en plus attaquée : des rassemblements de petits et moyens agriculteurs ont demandé son abrogation et exigé la démission du ministre socialiste de l'Agriculture. Est-ce là le premier acquis menacé?*

M. S. — Les dangers sont en effet réels et viennent en grande partie des erreurs colossales qui ont été commises

1. Structures de bases du M.F.A. dans les casernes.

par les communistes et les gauchistes. La géographie agricole du Portugal est complexe : des spécialistes vont même jusqu'à distinguer quarante-sept régions différentes. Mais l'opposition essentielle est entre un Sud latifundiaire et un Nord morcelé en petites propriétés. La réforme, pour l'instant, n'a véritablement touché que le secteur méridional — l'Alentejo — et quelques marges au Nord du Tage.

On a faussement qualifié de « réforme agraire » une loi qui, en fait, abordait seulement le problème des expropriations... et le réglait mal. Une cotation compliquée, fondée sur des critères de superficie et de rendement, établit les limites au-delà desquelles une terre est nationalisée. Cela concerne, *grosso modo,* les propriétés de plus de cinquante hectares en zone irriguée et celles de plus de cinq cents hectares ailleurs. Mais le système est si déficient qu'un homme qui a enrichi et valorisé sa terre par son travail peut être « pénalisé » par la réforme quand un « seigneur » absentéiste échappe à ses rigueurs!

Le pire est atteint quand on voit la façon dont la loi a été appliquée, ou plutôt systématiquement transgressée : l'été 1975 a été marqué par une flambée d'occupations sauvages qui a abouti à la collectivisation arbitraire de « domaines » ne dépassant pas parfois dix-sept ou vingt hectares. L'opération était montée par le syndicat des ouvriers agricoles, aux mains des communistes, qui a fait appel à des gens de l'extérieur, et parmi eux des étrangers, qui n'avaient bien souvent aucun rapport avec la terre. Ce fut bientôt la pagaille et la colère. Des milliers de fermiers avaient été « expropriés » et privés ainsi de leur gagne-pain. Ailleurs, on les avait contraints de s'intégrer dans des coopératives sans leur demander leur avis. Les centres régionaux de la réforme agraire avaient tous été infiltrés de militants du P.C. ou d'extrême-gauche qui régnaient en maîtres et imposaient leur volonté. Souvent incompétents, ils ne furent guère utiles aux ouvriers qui devaient se débattre, seuls, avec des problèmes de gestion et de production auxquels rien ni personne ne les avaient préparés.

Les résultats sont éloquents : des terres n'ont pas été ensemencées, du bétail de qualité a été abattu ou négocié au rabais, des instruments agricoles ont été vendus pour payer les salariés... Tout cela a provoqué une vague d'indignation et d'hostilité à la loi, au principe même de la réforme et, fatalement, au nouveau régime. Les coopératives-vitrines créées par les communistes ne sont que des modèles importés, véritables sovkhozes où les ouvriers ont seulement vu l'ancien patron remplacé par un bureaucrate venu de Lisbonne!

D. P. — *Reviendrez-vous sur les « acquis »?*

M. S. — Il faut corriger les erreurs, réparer les excès. La réforme agraire est très mal partie. Je l'ai dit à Cunhal, toujours imperturbable dans son discours triomphaliste sur le « million d'hectares occupés ». Les communistes, qui veulent apparaître comme le « parti de l'Alentejo » risquent de connaître bientôt, dans leur soi-disant fief, des déboires plus graves encore que ceux qu'ils ont rencontrés lors de la grande colère du Nord. Les paysans commencent à comprendre qu'ils ont été manipulés et leur rébellion couve. Les agrariens, fraîchement dépossédés, attendent leur heure : ils sont en train de nouer avec les petits et moyens agriculteurs l'alliance que la révolution se devait d'empêcher. Tout est-il compromis? Je ne crois pas, à condition de lancer maintenant une « campagne de rectification » qui redonnera à la réforme agraire son vrai visage : celui de la justice et du travail pour tous. C'est le projet réaliste de notre ministre de l'Agriculture, le socialiste Lopes Cardoso, projet qu'il a fait maintenant souscrire aux communistes et au P.P.D. qui ont chacun un secrétaire d'État au ministère.

D. P. — *L'autre grande conquête de la révolution — la politique de nationalisations — est aussi la cible de vives critiques. Le patronat et certains journaux demandent que l'on revienne sur des mesures prises « dans la foulée du 11 mars, en contradiction avec l'esprit du 25 avril ». Qu'en pensez-vous?*

M. S. — Nul ne peut nier que ces nationalisations ont été opérées, pour la plupart, dans un climat de hâte et d'improvisation qui a beaucoup nui à leur efficacité. Avant le 11 mars, le gouvernement avait longuement discuté sur les avantages et les inconvénients d'une politique audacieuse dans ce domaine. Une étude approfondie de la situation économique nationale et internationale nous avait amenés à choisir la prudence, malgré les pressions incessantes des communistes. Le plan élaboré à cette époque par une équipe d'économistes socialisants sous la responsabilité de Melo Antunes, était sans doute plus « osé » que le programme commun de la gauche française. Mais il rejetait une politique trop précipitée de nationalisations qui — dans le secteur bancaire notamment — risquait de détruire le système, de provoquer un effondrement de la production et d'aggraver, en conséquence, les conditions de vie du peuple.

Une assemblée sauvage du M.F.A., dans la nuit du 11 au 12 mars, a tout bouleversé. Des militaires sans la moindre compétence, dûment « inspirés » par les communistes, ont déclenché une avalanche de nationalisations. Mis devant le fait accompli, comme le reste du pays, nous avons soutenu la décision tout en expliquant nos réserves. On ne peut revenir sur le passé mais il faut sincèrement s'interroger : ces nationalisations ont-elles profité au peuple? N'a-t-on pas seulement remplacé un patron par l'État, ce qui ne change rien pour les travailleurs mais ruine trop souvent l'efficacité des entreprises : s'il y avait aujourd'hui une banque privée au Portugal, elle ferait de l'or car celles de l'État... gèrent la faillite. Les trois établissements privés en activité [1] (parce qu'étrangers) n'ont jamais été aussi prospères que depuis le 11 mars. Triste bilan : le Portugal a retrouvé l'usage des bas de laine et des coffres sous l'oreiller mais les banques nationalisées cherchent des liquidités! En nommant, sur critères politiques, des administrateurs incompétents, on a suscité la pagaille et la panique des épargnants.

La banque n'est pas une exception, hélas. C'est toute la production qui s'est trouvée, en quelques mois, gravement désorganisée. Au bord du chaos, on a gaspillé les dernières devises. Heureusement, les réserves d'or faciliteront certaines opérations financières qui feront tenir la trésorerie en 1976 et permettront encore d'importer les biens essentiels de consommation courante. Il faut maintenant remettre la machine en route. On ne peut revenir sur les nationalisations, sauf celles — très mineures — qui se sont révélées impraticables. L'essentiel est de faire participer les travailleurs à la gestion des entreprises, d'animer des expériences autogestionnaires, d'encourager les formes d'économie mixte. Et, sur un autre plan, il importe de rendre confiance au capital privé et de l'inciter à investir.

D. P. — *Favoriser le retour des grandes familles?*
M. S. — Champalimaud, Melos et les autres [2] ont pu reconstituer sans grande peine leur fortune à l'étranger

1. Le Crédit Lyonnais, la Bank of London and South America et la Banco do Brasil.
2. Capitalistes portugais, à la tête de groupes économiques très puissants sous l'ancien régime.

ou sont en passe d'y arriver. Ils ne sont peut-être pas si pressés de revenir au pays. Mais il est vrai que leur esprit d'initiative manquera dans une certaine mesure pour faire redémarrer l'économie portugaise. Le drame, surtout, est qu'ils ont emmené avec eux des milliers de techniciens qu'on ne peut remplacer au pied levé : la stabilité retrouvée devrait les inciter à rentrer. Nous devons aussi rassurer les petits et moyens industriels qui ont vécu deux ans dans un état permanent d'inquiétude et dont beaucoup ont finalement renoncé. J'ai rencontré au Venezuela un·jeune agronome, très compétent, qui avait monté une fabrique de concentré de tomates et de jus de fruits à Alvalade do Sado, dans l'Alentejo. Il est venu me saluer et m'a raconté son histoire : « Je construis ici, me dit-il, un complexe agro-industriel assez comparable à celui que je dirigeais au Portugal. C'était un des plus modernes d'Europe et l'entreprise était très prospère. Mais elle a été occupée, les réserves financières se sont envolées, les techniciens sont partis et j'ai moi-même changé de latitude. L'usine ne fonctionne plus et les salariés cherchent du travail... » A qui profite pareille situation? Aux travailleurs?

D. P. — *D'autres entreprises ont connu la même situation et certaines ont été reprises en autogestion.*

M. S. — Bien sûr, c'est souhaitable, mais on n'improvise pas de bons gestionnaires et lorsqu'on veut se passer de patron du jour au lendemain, on risque seulement de casser la machine économique. Les ruptures sont nécessaires mais le socialisme doit d'abord améliorer les conditions de vie des hommes et non les rendre plus pénibles.

D. P. — *Est-ce le chemin que vous prenez en imposant un plan d'austérité qui frappera durement les salariés?*

M. S. — Tout le monde devra le supporter. Certes ceux

qui ont le moins en souffriront davantage : c'est inévitable même si l'on veut épargner au maximum les plus défavorisés. Quelle était l'alternative, dans un pays où presque plus personne ne travaillait, où la production avait subi une baisse catastrophique, mais qui continuait à vivre au-dessus de ses moyens, en pleine société de consommation, avec des motivations totalement capitalistes ? On palabrait sur la révolution dans les rues, les bureaux et les ateliers et l'on faisait la fête en dilapidant le bas de laine légué par Salazar et Caetano !

Il n'y avait guère le choix. Ou l'on suivait Cunhal, en coupant les ponts avec l'Europe, et on serait forcé de massacrer les classes moyennes et même certaines couches ouvrières liées à une industrie trop dépendante des services et de l'Europe : l'économie s'effondrait et le pouvoir, pour se maintenir, devait exercer une répression brutale sur le peuple. C'était l'Albanie avant le Chili... Ou bien, l'on construisait, avec nous et la majorité des Portugais, un socialisme du possible...

D. P. — *La suspension des conventions collectives et le gel des salaires sont-ils des mesures compatibles avec la recherche d'une justice sociale ?*

M. S. — C'était la seule politique réaliste pour affronter le chaos menaçant. Telle est la lutte du pragmatisme contre l'utopie : cette utopie qui mène inévitablement à la contre-révolution. Je préfère être traité de néo-capitaliste et faire tourner l'économie portugaise que passer pour un doux rêveur et préparer le retour du fascisme. Mon but est de donner aux Portugais les conditions nécessaires pour réaliser ce qu'ils désirent, et cela ressemble très naturellement au mode de vie occidental : le frigidaire et la télé sont dans leur tête. Ils ne veulent pas y renoncer et je pense qu'ils ont raison.

D. P. — *Une armée qui rentre dans le rang, des conquêtes menacées qu'il s'agit maintenant de défendre : le 25 novembre fut un tournant. A droite? Non, dites-vous. Et pourtant : un député du C.D.S. brandit une massue devant une foule ravie en proposant de « jeter les communistes à la mer »; un parti démocrate-chrétien renaît de ses cendres et relance sa croisade contre l'Antéchrist; des libéraux quittent un parti qui se disait social-démocrate car ils ne peuvent plus supporter les rodomontades anticommunistes de son chef... On pourrait aligner dix autres signes inquiétants. Vous semblent-ils insignifiants?*

M. S. — La droite relève la tête, c'est évident. Inquiétant? Pas tellement : c'est le tribut qu'un socialiste, respectueux de la démocratie, paie à la liberté. Car il sait que la sienne dépend de celle qu'il accorde aux autres. J'avais prévenu Cunhal, avant même que son parti déclenche la grande offensive contre le sixième gouvernement : « Attention, lui ai-je dit, le vent souffle de la droite maintenant au Portugal. Le changement vient de la lassitude de la population, de l'incapacité dont nous avons fait preuve à résoudre ses problèmes concrets ». Il n'a pas voulu m'entendre, continuant d'assurer que le mouvement populaire allait de l'avant et que les rapports de forces n'avaient jamais été si favorables à la gauche...

Aujourd'hui nous y sommes : la droite se manifeste, parfois même bruyamment. Le P.P.D., qui se prétendait de centre-gauche, se lance à corps perdu dans un anticommunisme primaire qui, comme toujours, cache des positions de droite. Le parti démocrate-chrétien refait surface et peau neuve : je sais fort bien qu'il n'a rien à voir avec la tradition de ses pairs occidentaux. C'est un vrai parti de droite. Peu importe : s'il ne conspire pas, il a le droit d'exister et je n'ai jamais approuvé la mesure de suspension décrétée contre lui[1]. Tout le monde revient à sa place légitime et ceux qui avaient, sous la pression des circonstances, mis un masque de gauche, révèlent leur vrai visage. Il y a là quelques pas en arrière, c'est vrai, mais ils sont de beaucoup préférables au retournement brutal vers la droite que n'aurait pas manqué de provoquer l'aventure communiste. Les conspirateurs n'ont plus d'appui : ils ne peuvent plus justifier leur action illégale car le peuple a compris que la démocratie avait gagné le 25 novembre.

D. P. — *Si la droite portugaise n'a plus besoin de conspirer, n'est-ce pas qu'elle a de bonnes chances de l'emporter légalement?*

M. S. — Le peuple n'est ni aveugle, ni sourd. Il est majeur et sait distinguer ceux qui défendent ses intérêts de ceux qui veulent seulement utiliser ses voix. Ce n'est pas parce que la droite apparaît publiquement que les données politiques vont être modifiées du tout au tout.

D. P. — *Et si Spinola revenait?*

M. S. — Je n'aime guère les prophéties en politique. Je suis toujours prudent : on ne m'a jamais entendu couvrir Spinola de louanges quand il était au pouvoir ni l'accabler d'opprobre quand il est tombé en disgrâce. Quel est son destin politique? Cela dépend de lui : le 11 mars n'est pas fini, il doit y avoir un procès et un jugement. Viendra-t-il s'y expliquer et affronter la justice de ses compatriotes? De toute façon, je n'ai pas peur du rôle que Spinola pourrait jouer dans un Portugal démocratique. Je pense au contraire qu'il est stupide de le condamner à des activités contre-révolutionnaires.

1. Le P.D.C. a été « suspendu » au mois de mars 1975, en même temps que certains groupes gauchistes, et n'a pu présenter ses candidats aux élections à l'assemblée constituante.

D. P. — *Si Spinola était un jour élu président de la République, accepteriez-vous d'être son Premier ministre?*

M. S. — L'hypothèse n'est pas très vraisemblable : je ne pense pas que le général l'emporterait dans une élection libre mais si telle était la volonté du pays, je le reconnaîtrais comme président de tous les Portugais car je suis un démocrate.

D. P. — *Être son Premier ministre?*

M. S. — Si le parti socialiste était majoritaire, ou à la tête d'une coalition victorieuse aux élections législatives, on appellerait normalement son secrétaire général pour former le gouvernement. Alors, bien sûr, j'accepterais.

D. P. — *Souhaitez-vous le retour du général?*

M. S. — Oui, car il est très mauvais d'entretenir des mythes à l'étranger...

D. P. — *Croyez-vous possible une victoire des deux principaux partis de droite — le P.P.D. et le C.D.S. — aux prochaines élections?*

M. S. — Non. Je suis optimiste : je pense que le P.S. va réaliser un très bon score; les communistes enregistreront une légère baisse, leur « succursale » du M.D.P. va s'effondrer mais dégagera la place à une petite extrême-gauche; le C.D.S. progressera aux dépens du P.P.D. qui sortira affaibli parce que la scission aura des conséquences régionales importantes. Voilà ce qui pourrait arriver s'il n'y a pas de troubles graves avant les élections.

D. P. — *Une majorité de gauche, donc?*

M. S. — Surtout deux blocs à peu près égaux et homogènes, dangereusement face à face : c'est une situation que l'on connaît ailleurs et qui fait beaucoup réfléchir la gauche européenne depuis l'échec chilien. Si faiblement majoritaires, nous ne pouvons prétendre imposer des solutions trop radicales à la « minorité » sans risquer une guerre civile. Il faut avoir une confiance suffisante dans l'évolution de la conscience populaire. Il y a des cas où il faut attendre les meilleures conditions possibles avant d'entreprendre les transformations fondamentales de société que nous souhaitons.

D. P. — *Seriez-vous disposés à mener cette politique prudente, en alliance avec le parti communiste et le groupe dissident du P.P.D., éventuellement transformé en une sorte de « mouvement des radicaux de gauche »?*

M. S. — Cela dépend évidemment des résultats électoraux mais aussi du comportement du parti communiste. On ne peut envisager, pour l'instant, aucun programme commun : pour préserver les chances de la gauche, le P.S. doit être complètement autonome et se présenter seul devant les électeurs. L'union de la gauche, que le peuple aurait acceptée et soutenue au lendemain du 25 avril 1974, serait aujourd'hui le plus sûr moyen de donner le pouvoir... à la droite.

Et demain? Le P.C. sera-t-il dans l'opposition? Au gouvernement? Associé à la politique du pouvoir sans y prendre directement part? Son attitude, dans les semaines qui précèdent les élections, sera déterminante : jouera-t-il enfin le jeu de la démocratie en s'associant à la reconstruction de l'économie nationale ou profitera-t-il de la politique d'austérité — et de la grogne qu'elle entraîne nécessairement — pour soutenir de nouveau des revendications irréalistes?

D. P — *En somme, vous demandez aux communistes de prouver leur attachement à la démocratie en démontrant leur capacité d'assurer l'ordre social.*

M. S. — Vous caricaturez un peu, mais fondamentalement, c'est cela. Le P.C. portugais doit se souvenir de l'expérience du « parti frère » français en 1945. Maurice Thorez avait alors expliqué aux travailleurs « qu'il faut savoir finir une grève ».

D. P. — *Vous conseillez à Cunhal de relire Thorez?*
M. S. — Mieux encore, d'écouter Berlinguer.

Programme du M.F.A. *

Considérant qu'après treize ans de lutte en terres d'outre-mer, le système politique en vigueur n'est pas parvenu à définir concrètement et objectivement une politique d'Outre-Mer conduisant à la paix entre les Portugais de toutes les races et de toutes les croyances;

Considérant que la définition de cette politique n'est possible que moyennant l'assainissement de l'actuelle politique intérieure et de ses institutions, afin de les transformer, par la voie démocratique, en des institutions indiscutablement représentatives du peuple portugais;

Considérant que la substitution du système politique en vigueur devra s'opérer sans convulsions internes qui affecteraient la paix, le progrès et le bien-être de la Nation;

Le Mouvement des Forces Armées Portugaises, avec la profonde conviction qu'il interprète les aspirations et les intérêts de l'écrasante majorité du Peuple Portugais, et que son action est pleinement justifiée au nom du salut de la Patrie, et faisant usage de la force qui lui est conférée par la Nation par l'intermédiaire de ses soldats, proclame et s'engage à garantir l'adoption des mesures suivantes, plateforme qu'il considère comme nécessaire pour la résolution de la grande crise nationale que le Portugal traverse :

A) MESURES IMMÉDIATES

1. Le pouvoir politique sera exercé par une « Junte de Salut National », jusqu'à la formation, à brève échéance, d'un Gouvernement

---

* Bulletin de liaison du CEDETIM (94, rue Notre-Dame-des-Champs, 75006 Paris), *Portugal : un enjeu révolutionnaire pour l'Europe,* nᵒˢ 35-36, mai 1975.

Provisoire Civil; le Président et le Vice-Président de ce Gouvernement seront désignés par la Junte.

2. La Junte de Salut National décrétera :

a) la destitution immédiate du Président de la République et du Gouvernement actuel; la dissolution de l'Assemblée Nationale et du Conseil d'État; simultanément sera annoncée publiquement la convocation, dans le délai de douze mois, d'une Assemblée Nationale Constituante, élue au suffrage universel, direct et secret, suivant la Loi électorale à élaborer par le futur Gouvernement Provisoire;

b) la destitution de tous les gouverneurs civils (préfets) sur le continent : des gouverneurs des districts autonomes dans les Iles Adjacentes, et des gouverneurs généraux des Provinces d'Outre-Mer, ainsi que l'extinction immédiate de l'Action Nationale Populaire;
— les gouvernements généraux des Provinces d'Outre-Mer seront immédiatement assumés par les Secrétaires Généraux correspondants, investis des fonctions de chargés du gouvernement, jusqu'à la nomination de nouveaux Gouverneurs par le Gouvernement provisoire;
— l'expédition des affaires courantes des gouvernements civils (préfectures) sera confiée aux substituts légaux des gouverneurs civils, tant que leurs successeurs n'auront pas été nommés par le Gouvernement provisoire;

c) L'extinction immédiate de la Direction Générale de Sécurité, de la Légion Portugaise et des Organisations politiques de la jeunesse. En terres d'Outre-Mer, la DGS sera restructurée et assainie, et sera organisée comme Police d'information Militaire, tant que les opérations militaires l'exigeront;

d) la remise immédiate aux Forces Armées des individus qui se rendraient coupables de crimes contre l'ordre politique instauré, durant la période d'existence de la Junte de Salut National, en vue de l'instruction de leur procès et de leur jugement;

e) les mesures nécessaires en vue de la vigilance et du contrôle rigoureux de toutes les opérations économiques et financières avec l'étranger;

f) l'amnistie immédiate de tous les détenus politiques, sauf ceux qui seraient coupables de crimes de droit commun, qui seront remis à la juridiction respective, et la réintégration volontaire des fonctionnaires de l'État destitués pour des motifs politiques;

g) l'abolition de la censure et de l'examen préalable de la Presse.

Reconnaissant la nécessité de sauvegarder les secrets à caractère militaire et d'éviter les perturbations qui pourraient être provoquées dans l'opinion publique par des agressions idéologiques des milieux les plus réactionnaires, sera créée une commission « ad hoc » pour le contrôle de la presse, de la radio, de la télévision du théâtre et du cinéma, à caractère transitoire, dépendant directement de la Junte de Salut National, et qui exercera ses fonctions jusqu'à la publication de nouvelles Lois sur la Presse, la Radio, la Télévision, le Théâtre et le Cinéma, par le futur Gouvernement provisoire;

h) mesures en vue de la réorganisation et de l'assainissement des Forces Armées et Militarisées (Garde Nationale Républicaine, Police de Sécurité Publique);

i) tant que n'aura pas été créé un service spécifique à cet effet, le contrôle des frontières sera confié aux Forces Armées et Militarisées;

j) mesures conduisant au combat efficace contre la corruption et la spéculation.

B) MESURES A COURT TERME

1. Dans le délai maximum de trois semaines après la conquête du pouvoir, la Junte de Salut National désignera, parmi ses membres, celui qui exercera les fonctions de Président de la République Portugaise, et qui conservera des pouvoirs identiques à ceux qui sont prévus dans la Constitution actuelle.

a) Les autres membres de la Junte de Salut National assumeront les fonctions de Chef de l'État-Major des Forces Armées et de Chef de l'État-Major de la Force Aérienne et feront partie du Conseil d'État.

2. Après avoir assumé ses fonctions, le Président de la République nommera le Gouvernement Provisoire, qui sera constitué par des personnalités représentatives de groupes et de courants politiques, ainsi que par des personnalités indépendantes qui adopteraient le présent programme.

3. Durant la période d'exception du Gouvernement Provisoire, imposée par la nécessité historique de transformation politique, la Junte de Salut National sera maintenue en fonctionnement en vue de la sauvegarde des objectifs ici proclamés. La période d'exception cessera dès que, en accord avec la nouvelle Constitution Politique, auront été élus le Président de la République et l'Assemblée Législative.

4. Le Gouvernement Provisoire gouvernera au moyen de Décrets-Lois, qui obéiront obligatoirement à l'esprit de la présente proclamation.

5. Compte tenu de ce que les grandes réformes de fond ne pourront être adoptées que dans le cadre de la future Assemblée Nationale Constituante, le Gouvernement Provisoire s'engagera à promouvoir immédiatement :

a) l'application de mesures qui garantissent l'exercice formel de l'action du gouvernement, et l'étude et l'application de mesures préparatoires de caractère matériel, économique, social et culturel qui garantissent l'exercice futur effectif de la liberté politique des citoyens;

b) la liberté de réunion et d'association. En application de ce principe, la formation d' « associations politiques », embryons éventuels de futurs partis politiques, sera autorisée, et la liberté syndicale sera garantie, en accord avec une loi spéciale qui régularisera son exercice;

c) la liberté d'expression et de pensée sous toutes ses formes;

d) la promulgation d'une nouvelle loi de la presse, la radio, la télévision, le théâtre et le cinéma;

e) les mesures et les dispositions permettant d'assurer à court terme, l'indépendance et la dignité du pouvoir judiciaire;
— l'extinction des « tribunaux spéciaux » et l'honorabilité du processus pénal pendant toutes ses phases;
— les crimes commis contre l'État sous le nouveau régime seront instruits par des juges dans des tribunaux ordinaires, donnant aux accusés toutes les garanties. Les enquêtes seront confiées à la Police Judiciaire.

6. Le gouvernement établira les fondements

a) d'une nouvelle politique économique, au service du peuple portugais, et en particulier des catégories actuellement les moins favorisées, avec comme préoccupation immédiate la lutte contre l'inflation et la hausse excessive du coût de la vie, ce qui impliquera nécessairement une stratégie antimonopoliste;

b) d'une nouvelle politique sociale qui, dans tous les domaines, aura pour but essentiel la défense des intérêts des classes travailleuses et l'augmentation progressive, mais accélérée, de la qualité de vie de tous les Portugais.

7. Le Gouvernement Provisoire s'orientera en politique étrangère selon les principes d'indépendance et d'égalité entre les États, de non-ingérence dans les affaires des autres pays et de défense de la paix, élargissant et diversifiant les relations internationales sur la base de l'amitié et de la coopération.

Le Gouvernement Provisoire respectera les engagements internationaux en vigueur.

8. La politique Outre-Mer du Gouvernement Provisoire, dont la définition appartient à la Nation, s'orientera selon les principes suivants :

a) la reconnaissance que la solution des guerres Outre-Mer est politique et non militaire;

b) la création des conditions pour un débat franc et ouvert, au niveau national, du problème d'Outre-Mer;

c) l'établissement des fondements d'une politique Outre-Mer qui conduise à la paix.

C) CONSIDÉRATIONS FINALES

1. Dès que seront élus par la Nation l'Assemblée Législative et le nouveau Président de la République, la Junte de Salut National sera dissoute et l'action des Forces Armées sera restreinte à sa mission spécifique de défense de la souveraineté nationale.

2. Le Mouvement des Forces Armées, convaincu que les principes et les objectifs proclamés traduisent un compromis assumé devant le Pays, et sont impératifs pour servir les intérêts supérieurs de la Nation, appelle ardemment tous les Portugais à une participation sincère, éclairée et décidée à la vie publique nationale, et les exhortent à garantir, par leur travail et la coexistence pacifique, quelle que soit leur

position sociale, les conditions nécessaires pour définir à court terme une politique conduisant à la solution des graves problèmes nationaux et à l'harmonie, au progrès, à la justice sociale indispensable à l'assainissement de notre vie publique et à l'obtention par le Portugal d'une place qui lui revient de droit dans le concert des Nations.

Déclaration de principes du parti socialiste

1.1. Le parti socialiste est l'organisation politique des Portugais qui cherchent dans la démocratie socialiste la solution des problèmes nationaux et la réponse aux exigences historiques de notre temps.

1.2. Le parti socialiste a pour objectif l'édification au Portugal d'une société sans classes où les travailleurs seront des producteurs associés, où le pouvoir sera l'expression de la volonté populaire et où la culture résultera de la capacité créatrice de tous; pour atteindre ce but, le parti socialiste considère qu'une nouvelle conception de la vie s'impose et s'instaurera par la prise du pouvoir par les travailleurs, dans le cadre de la collectivisation des moyens de production et de distribution, de la planification économique, et dans le respect du pluralisme des initiatives. Sans exclure le progrès apporté par la démocratie bourgeoise — héritage d'ailleurs que la bourgeoisie nie et renie aujourd'hui — le parti socialiste lutte pour l'édification d'une nouvelle société qui ne soit pas fondée sur le salariat et le profit, sur l'aliénation du travail ou de la conscience, sur l'impérialisme des catégories mercantiles, sur des relations juridiques coercitives, sur l'exploitation et la manipulation de l'homme par l'homme.

1.3. Héritier de toute une tradition de lutte des classes laborieuses pour un socialisme démocratique, nourri par les différents courants de pensée qui, au cours du siècle dernier, ont combattu l'oppression capitaliste, le parti socialiste se propose de réaliser la synthèse des mouvements de toutes origines qui aspirent au socialisme en liberté. Non seulement ceux qui mettent l'accent sur des institutions garantissant le pluralisme politique et idéologique, l'exercice du pouvoir par délégation représen-

235

tative du suffrage universel, la séparation des pouvoirs et le contrôle de l'exécutif par le législatif, mais aussi ceux qui défendent l'exigence de la démocratie au niveau local, de la démocratie directe à la base, de l'initiative syndicale, des conseils ouvriers, du coopérativisme et de l'autogestion.

Le parti socialiste estime qu'une démocratie d'État sans démocratie de base courrait le risque de se couper du peuple; qu'une démocratie de base sans démocratie d'État courrait le risque soit de se révéler inopérante soit de sombrer dans le totalitarisme.

1.4. Partant des expériences internationales du socialisme et des leçons qu'il convient d'en tirer, le parti socialiste considère que le marxisme sera son inspiration théorique et repensée de façon permanente comme guide pour l'action, mais jamais comme dogme. Le parti socialiste reconnaît la valeur de la contribution de toutes les tendances religieuses en lutte pour un socialisme qui ne s'écarte pas des principes scientifiques.

1.5. Considérant la révolution socialiste comme une étape fondamentale dans l'histoire de l'humanité, le parti socialiste propose un socialisme qui accueille et développe le pluralisme, respecte la dignité humaine, la pratique de la libre critique, l'exercice de la citoyenneté, et l'organisation d'un État fondé sur le droit. Il estime que l'accès du socialisme comporte une diversité de voies qui varient fondamentalement en fonction des structures socio-économiques et politiques, des mentalités et des caractéristiques culturelles inhérentes à la civilisation de chaque peuple qu'il entend respecter. Rejetant les modèles bureaucratiques et totalitaires qui, pour des raisons historiques, se sont écartés des fondements du marxisme, le parti socialiste propose de chercher dans le débat d'idées et dans l'action populaire et prolétarienne la voie portugaise vers un socialisme de base qui retiendrait la leçon de l'expérience des autres peuples.

1.6. Le parti socialiste combat le système capitaliste et la domination bourgeoise. Il refuse les méthodes technocratiques et il affirme qu'en aucun lieu le néo-capitalisme n'arrivera à instaurer une société inspirée par les idéaux d'égalité sociale, mais au contraire aggravera — sous des formes plus insidieuses — l'exploitation du plus grand nombre par le plus petit nombre. Le parti socialiste répudie les mirages trompeurs des sociétés qui sous des apparences démocratiques se définissent comme des sociétés de consommation, et qui en réalité accentuent l'inégalité entre les hommes et les frustrent de leurs aspirations les plus légitimes, sans même offrir une solution au problème de la misère, y compris dans des régions ou pays hautement développés sur le plan technologique.

1.7. Le parti socialiste refuse les modèles proposés par ces mouvements qui, se disant sociaux-démocrates ou même socialistes, finissent par conserver délibérément ou dans les faits les structures du capitalisme et servent les intérêts de l'impérialisme.

1.8. Le parti socialiste est solidaire de toutes les forces qui dans le monde luttent pour le socialisme démocratique contre le fascisme, le colonialisme, le racisme, le capitalisme et l'impérialisme. La confiance que le parti socialiste porte à la solidarité humaine concerne tous les peuples et par conséquent le parti socialiste recherche la collaboration de tous dans la lutte pour la construction de la société socialiste universelle, dans la lutte pour la paix et pour la coexistence entre les nations.

1.9. Le parti socialiste suit attentivement les expériences des partis communistes qui se proposent de respecter les valeurs du socialisme démocratique et leur accorde une grande importance. Il en est de même pour la contribution apportée au mouvement socialiste par les secteurs innovateurs de la nouvelle gauche.

1.10. Le parti socialiste cherche à développer la lutte de classe des travailleurs pour leur propre émancipation, et il estime de son devoir d'organiser pour ce combat, ouvriers et employés paysans et salariés ruraux, étudiants et petits exploitants, cadres, professeurs et intellectuels, ainsi que tous ceux qui ne dissocient pas les valeurs du progrès de la lutte pour le socialisme.

1.11. Conscient du caractère répressif et brutal du capitalisme, le parti socialiste a pour but sa destruction totale. Le parti socialiste préconise une unité d'action avec toutes les autres forces qui se sont fixé le même objectif.

1.12. Le parti socialiste est une organisation conçue pour et dirigée vers l'action, préoccupée essentiellement de la formation politique des masses laborieuses et de leur intervention dans la vie du pays. Convaincu de la valeur des méthodes démocratiques, le parti socialiste reconnaît à ses militants une entière liberté de critique et d'opinion. Cependant, ceux-ci s'engagent à appliquer l'orientation et les décisions prises par les organes de direction élus et contrôlés par la base.

Résultats des élections de l'Assemblée constituante
25 avril 1975

Inscrits	6 177 698	
Votants	5 666 696	
Abstentions	511 002	8,3 %

P.S. (Parti socialiste)	2 145 618	37,9 %	116 députés
P.P.D. (Parti populaire démocratique). *Centriste*	1 495 017	26,4 %	81 députés
P.C. (Parti communiste)	709 659	12,5 %	30 députés
C.D.S. (Centre démocratique et social) *Droite conservatrice*	433 343	7,6 %	16 députés
M.D.P. (Mouvement démocratique portugais). *Proche du P.C.*	233 380	4,1 %	5 députés
U.D.P. (Union démocratique populaire). *Mouvement maoïste le plus important au Portugal.*	44 546	0,8 %	1 député
F.S.P. (Front socialiste populaire). *Formé après la scission de l'aile gauche du parti socialiste et proche du P.C. jusqu'au 25-11-75*	66 163	1,2 %	0
M.E.S. (Mouvement de la gauche socialiste). *Proche du PSU français jusqu'au 25-11-75*	57 695	1,- %	0
P.P.M. (Parti populaire monarchique).	31 809	0,6 %	0
F.E.C.-m.l. (Front électoral communiste-marxiste léniniste)	32 519	0,6 %	0
P.U.P. (Parti d'unité populaire). *Maoïste, a fusionné ultérieurement avec l'U.D.P.*	12 996	0,2 %	0
L.C.I. (Ligue communiste internationaliste) *Trotskyste*	10 732	0,2 %	0

Chronologie

1974

Avril
Plusieurs unités de l'armée se soulèvent contre le gouvernement de M. Marcelo Caetano et forment une junte de salut national. Le général Spinola, relevé quelques semaines auparavant de son poste de chef d'état-major adjoint, est appelé par les jeunes officiers révoltés à prendre la tête du mouvement.

Mai
15 Le général Spinola est investi des fonctions de président de la République.

16 Un modéré, M. Adelino Palma Carlos, est nommé président du Conseil. Le même jour, M. Mario Soares, ministre des Affaires étrangères, rencontre à Dakar M. Aristides Pereira, secrétaire général du P.A.I.G.C. (Parti africain pour l'indépendance de la Guinée-Bissau et des îles du Cap-Vert).

23 M. Soares engage à Londres des négociations avec les représentants du P.A.I.G.C.

Juillet
9 Démission du cabinet Palma Carlos.

17 Le M.F.A., prenant de vitesse le général Spinola, qui voulait imposer le lieutenant-colonel Firmino Miguel (modéré), fait nommer le colonel Gonçalves, qui sera plus tard général, à la tête du deuxième gouvernement provisoire.

Août
7 Le droit de grève est « reconnu et réglementé ».

26 Signature à Alger d'un accord fixant au 10 septembre suivant l'indépendance de la Guinée-Bissau. Mario Soares dirigeait la délégation portugaise dans les négociations avec le P.A.I.G.C.

Septembre

6 Mario Soares, ministre des Affaires étrangères, signe à Lusaka (Zambie), avec le F.R.E.L.I.M.O., un accord qui fixe au 25 juin 1975 la proclamation de l'indépendance du Mozambique.

20 Des milliers d'affiches apposées sur les murs de Lisbonne et des tracts lâchés d'avions appellent la « majorité silencieuse » à manifester.

28 La grande manifestation de la « majorité silencieuse » est annulée par le général Spinola, alors que des militants de gauche dressent des barricades aux entrées de la capitale. Cent cinquante personnalités de droite sont arrêtées.

30 Le général Spinola annonce qu'il démissionne, affirmant que *« la crise et le chaos sont inévitables »*. Le général Costa Gomes lui succède comme chef d'État.

Octobre

20 Le parti communiste retire de son programme, à l'issue de son congrès, la référence à la *dictature du prolétariat*.

28 Création d'un conseil supérieur du Mouvement des forces armées ou « conseil des vingt », qui est l'organisme suprême du M.F.A.

Décembre

15 M. Mario Soares, ministre des Affaires étrangères, est réélu secrétaire général du parti socialiste à l'issue du premier congrès national de cette formation.

1975

Janvier

14 Des milliers de personnes manifestent à Lisbonne en faveur de l'unicité syndicale.

15 Le Portugal et les trois mouvements nationalistes angolais — M.P.L.A., F.N.L.A. et U.N.I.T.A. — signent les accords d'Alvor fixant l'indépendance de l'Angola au 11 novembre 1975.

16 Meeting du parti socialiste au cours duquel le P.C.P. est accusé de vouloir imposer sa domination sur le mouvement syndical et supprimer les libertés publiques.

21 Le gouvernement approuve le projet de loi consacrant le principe de l'unicité syndicale, défendu par le parti communiste et le M.F.A. mais combattu par le parti socialiste et le parti populaire démocratique.

Février

10 Le président de la République annonce que les élections à la Constituante auront lieu le 12 avril.

Mars

7-8 Des manifestants d'extrême-gauche à Setubal attaquent un meeting du parti populaire démocratique. Les heurts entre la police et les manifestants font deux morts et vingt-cinq blessés.

11 Le général Gonçalves annonce l'échec d'une « tentative de coup d'État de droite ». Des avions et des hélicoptères ont attaqué la caserne du 1er régiment d'artillerie légère. Le général Spinola parvient à gagner l'Espagne.

13 Le Mouvement des forces armées crée un Conseil de la Révolution dont la composition traduit un net glissement à gauche. La première mesure du Conseil est la nationalisation des banques et des compagnies d'assurance.

28 Le général Gonçalves présente un « programme de combat ». Vives critiques du parti socialiste dont les relations avec le P.C. se détériorent.

Avril

2 Le Conseil de la révolution présente aux partis une « plate-forme d'accord constitutionnel » laissant de larges prérogatives au M.F.A. pour une période transitoire de trois à cinq ans.

25 Les élections donnent au P.S. 38 % des voix, contre 26,5 % au P.P.D. et 12,5 % aux communistes. Ce succès de la gauche modérée a été acquis avec une participation électorale exceptionnelle et sans incidents notables.

Mai

20 Les militaires font évacuer les locaux du quotidien *República*, proche du parti socialiste, où, depuis le 2 mai, la commission des travailleurs entend imposer ses vues à la rédaction. M. Soares dénonce « l'illégalité » de la fermeture du quotidien et menace de quitter le gouvernement du général Gonçalves.

30 Au « sommet » atlantique de Bruxelles, le général Gonçalves affirme : « Le Portugal respectera ses alliances. »

Juin

17 Le conflit entre un groupe de travailleurs de Radio-Renaissance et l'Église, propriétaire de la station, s'exacerbe.

19 Le M.F.A. réaffirme sa conception « pluraliste » de la révolution.

25 Le Mozambique accède officiellement à l'Indépendance.

Juillet

8 Une assemblée du M.F.A. élabore un « document-guide » pour l'instauration du « pouvoir populaire ». Soutenu par la gauche de l'armée et les communistes, le projet est vivement combattu par le parti socialiste.

10 Les ministres socialistes quittent le gouvernement, suivis cinq jours plus tard par les ministres centristes.

17 Le Conseil de la révolution charge le général Gonçalves de former le nouveau cabinet. Les communistes échouent dans leur tentative d'entraver une manifestation socialiste à Porto, puis, le 19, à Lisbonne. M. Soares demande explicitement le remplacement du général Gonçalves à la tête du gouvernement.

25 Troubles anticommunistes dans le nord du pays, où plusieurs permanences du P.C. sont mises à sac.

26 Un triumvirat militaire est créé pour « assurer l'autorité du pouvoir ». Il est composé des généraux Costa Gomes, président de la République, Vasco Gonçalves, Premier ministre, et Otelo de Carvalho, commandant en chef du COPCON.

Août

7 Neuf membres du Conseil de la révolution, dont le major Melo Antunes, publient un document hostile au comportement du parti communiste et récusant les voies totalitaires et social-démocrates.

8 Le nouveau cabinet Gonçalves entre en fonctions tandis que le triumvirat condamne le document des « neuf ». Les manifestations anticommunistes se multiplient.

10 Le manifeste des « neuf modérés » divise profondément les forces armées.

11 Après une allocution de Mgr Da Silva, archevêque de Braga, de violents affrontements opposent dans cette ville catholiques et militants communistes.

13 Un groupe d'officiers du COPCON élabore un document qui préconise une « alternative de gauche » critiquant à la fois le P.C. et les « modérés », et désavouant pratiquement le général Gonçalves, de plus en plus isolé.

25 Une guerre de communiqués oppose les différents camps en présence. Les officiers du COPCON semblent amorcer un rapprochement avec le Premier ministre, dont la démission est exigée par les « modérés ». Manifestations unitaires du P.C. et de l'extrême-gauche révolutionnaire.

29 Le général Gonçalves est remplacé à la tête du gouvernement par l'amiral Pinheiro de Azevedo, et nommé chef de l'état-major général des forces armées.

30 Les « neuf modérés » contestent la nomination du général Gonçalves, considérée comme une promotion.

Septembre

5 Une assemblée générale du M.F.A., houleuse et contestée, modifie la composition du Conseil de la Révolution et écarte le général Vasco Gonçalves de l'état-major des forces armées.

8 Second séjour en Europe du général Spinola soupçonné de recevoir à Paris de nombreuses personnalités liées à la droite et à l'ancien régime salazariste.

19 Le 6ᵉ gouvernement provisoire entre en fonction. Il comprend : quatre ministres socialistes, deux P.P.D. et un communiste.

25 Importante manifestation de militaires appuyée par un grand nombre de civils à Lisbonne, à l'appel du mouvement « Soldats Unis Vaincront » (SUV), récemment créé à l'initiative de l'extrême-gauche.

Octobre

3 L'Assemblée du Conseil de l'Europe se prononce à l'unanimité pour une « aide substantielle » au Portugal.

4 L'indiscipline persiste dans l'armée portugaise. La dissolution d'un régiment à Porto provoque la mutinerie d'une autre unité de la ville.

7-8 La tension s'aggrave entre le gouvernement et les forces d'extrême-gauche, militaires et civiles.

Répondant à l'appel du P.C., des milliers d'ouvriers métallurgistes assiègent le ministère du Travail. Le gouvernement cède aux revendications des manifestants.

Dans un message à la radio et à la télévision, le président Costa Gomes invite les militaires à ne pas se mêler de politique.

9 Publication par le P.C.P. d'un long document dénonçant le virage à droite du gouvernement et approuvant la « contre-offensive des forces populaires ».

14 Le général Carlos Fabião, chef d'état-major de l'armée négocie directement un accord avec les mutins de Porto. Aucune sanction ne sera prise contre les rebelles.

24 Le Portugal demande à l'O.N.U. d'aider les colons qui ont abandonné l'Angola et le Mozambique.

31 Les ouvriers agricoles poursuivent leur campagne d'occupation des terres, amorcée au début de l'été. Cette situation et les abus

qu'elle entraîne suscitent une polémique de plus en plus vive
entre communistes et socialistes.

Novembre

6 Un « face-à-face » télévisé de quatre heures entre MM. Soares
et Cunhal confirme la profondeur des divergences qui les séparent.

7 Récemment occupé par des militants d'extrême-gauche, l'émetteur de Radio-Renaissance est détruit par des parachutistes sur
ordre du Conseil de la Révolution.

11 L'Angola accède à l'indépendance. Le gouvernement portugais,
maintenant sa politique de neutralité adoptée dès les premiers
jours du processus de décolonisation, refuse de soutenir aucun
des mouvements nationalistes concurrents.

13 Une manifestation des ouvriers du bâtiment s'achève par la
séquestration des députés et du Premier ministre à l'intérieur du
palais de São-Bento, siège de l'assemblée constituante. Après
trente-six heures, l'amiral Pinheiro de Azevedo est contraint de
céder aux revendications des ouvriers qui demandaient 44 %
d'augmentation de salaire.

16 Le P.C. et l'extrême-gauche organisent à Lisbonne une importante manifestation contre le sixième gouvernement.

20 Constatant son impuissance à exercer une quelconque autorité,
le gouvernement décide de suspendre ses activités et demande
aux responsables militaires de « remettre de l'ordre ».

21 Le Conseil de la Révolution destitue le général Otelo de Carvalho
de son commandement de la région militaire de Lisbonne et le
remplace par le capitaine Vasco Lourenço, l'un des « neuf modérés ». Cette mesure est aussitôt contestée par les unités de la
capitale fidèles au chef du COPCON. Le président de la République suspend la nomination du capitaine Vasco Lourenço jusqu'au 24 novembre.
Le P.C.P. exige la formation d'un nouveau gouvernement de
gauche pour arrêter l'escalade réactionnaire.

23 Socialistes et centristes dénoncent la carence du président Costa
Gomes. Le 6e gouvernement provisoire est toujours en « grève ».
Dans une interview au *Nouvel Observateur,* le major Melo Antunes
dénonce « le plan communiste » qui menace la démocratie.

La rébellion du mardi 25 novembre

4 h 30 Le Conseil de la Révolution confirme sa décision annoncée
le 21 novembre de destituer le général Otelo de Carvalho de
son poste de commandant de la région militaire de Lisbonne,
et de le remplacer par le capitaine Vasco Lourenço.

A l'aube et dans la matinée, des unités parachutistes « rebelles » occupent plusieurs bases aériennes. Les unités de gauche et d'extrême-gauche de la capitale, fidèles au chef du COPCON, se mettent en état d'alerte.

13 h 35 Dans un communiqué, l'état-major général des forces armées portugaises menace d'une intervention militaire les troupes rebelles.

15 h 27 Les parachutistes annoncent qu'ils ont décidé de démettre de leur commandement les généraux Morais et Silva, chef de l'état-major de l'armée de l'air, et Pinho Freire, commandant de la première région aérienne. Les officiers qui composent l'état-major du COPCON tentent de coordonner les opérations des forces rebelles. Ils pressent le général de Carvalho de prendre la direction du mouvement, mais ce dernier décide finalement de se rendre au palais de Belem où le président de la République l'a appelé.

16 h 30 L'état d'urgence est décrété dans toute la région de Lisbonne. Le président Costa Gomes assume directement le commandement de toutes les unités militaires qui s'y trouvent.

18 h 30 Les révolutionnaires de l'école pratique d'administration militaire, qui ont pris le contrôle de la télévision, appellent les masses populaires à se mobiliser. Ils donnent la parole aux parachutistes rebelles qui expliquent les raisons et les objectifs de leur mouvement.

19 h 15 Des éléments du régiment de commandos d'Amadora encerclent la base aérienne de Monsanto et en prennent le contrôle.

21 h Des commandos fidèles au gouvernement reprennent le contrôle du quartier général de l'armée de l'air à Lisbonne.

21 h 10 Le capitaine Duran Clemente, ancien membre du cinquième bureau de l'état-major, dissous après l'éviction du général Vasco Gonçalves, prononce une allocution à la télévision. L'émission est alors interrompue. La mire des studios de télévision de Porto fidèles au gouvernement apparaît sur l'écran, avant la diffusion d'un film américain.

21 h 30 Le général Costa Gomes déclare l'état de siège partiel dans la région militaire de Lisbonne.

22 h Les rebelles qui occupaient la base de Monsanto sont arrêtés, le général Pinho Freire est rétabli dans son commandement.

22 h 10 Radio-Clube, qui a diffusé toute la journée des programmes révolutionnaires, suspend ses émissions après une intervention du Conseil de la Révolution.

22 h 20 Plusieurs engins blindés de reconnaissance du régiment de

commandos d'Amadora prennent position autour du palais présidentiel de Belem.

Mercredi 26 novembre

o h 39   Le P.S., le P.P.D. et le C.D.S. réaffirment leur appui au gouvernement.

o h 59   Le parti communiste portugais déclare, dans un communiqué, que le pays court « le risque de se trouver plongé dans une confrontation sanglante entre forces révolutionnaires, confrontation qui ne peut profiter qu'à la réaction et faciliter l'instauration d'une nouvelle dictature ».

1 h 30   Des unités de commandos fidèles au gouvernement ouvrent le feu pour disperser la foule rassemblée devant le palais de Belém.

4 h 20   Par décision du Conseil de la Révolution, aucun journal n'est autorisé à paraître mercredi 26 novembre dans la région militaire de Lisbonne.

5 h 22   Un communiqué de l'état-major des forces armées annonce que « les activités contre-révolutionnaires des groupes de parachutistes rebelles de la base-école de Tancos continuent d'être réduites point par point ».

5 h 44   Un nouveau communiqué de l'état-major affirme : « Il devient clair que l'insubordination militaire créée dans le pays a été une manipulation provoquée et inspirée par les forces contre-révolutionnaires. »

6 h   Le major Dinis de Almeida, commandant en second du RALIS, se rend au palais de Belém où il est fait prisonnier.

9 h 15   Les forces gouvernementales portugaises semblent avoir maté la rébellion des parachutistes.

10 h 31   Les commandos d'Amadora attaquent la police militaire, dont les chefs n'avaient pas exécuté les ordres reçus. L'affrontement fait trois morts.

Au début de l'après-midi, une colonne de blindés de l'école pratique de cavalerie de Santarém approche de la banlieue nord de Lisbonne, menace d'abord la RALIS et prend finalement le contrôle du principal dépôt d'armes de la capitale.

Dans la nuit du 26 au 27 novembre, les militaires arrêtés sont transportés en avion à la prison de Custoias, près de Porto.

Vendredi 28 novembre

Les parachutistes de Tancos rendent les armes. La rébellion est définitivement matée.

Les gouvernements

DERNIER GOUVERNEMENT CAETANO
(12 août 1972)

Ministre d'État à la planification économique : M. Joao Motta Pereira Campos.
Défense : général Horacio José Sa Viana Rebello.
Intérieur : M. Antonio Manuel Gonçalves Rapazote.
Justice` : M. Mario Julio Brito de Almeida Costa.
Finances et affaires économiques : M. Manuel Cotta Dias.
Marine : contre-amiral Manuel Pereira Crespo.
Affaires étrangères : M. Rui Patricio.
Travaux publics et communications : M. Ruy Alves da Silva Sanches.
Provinces d'outre-mer : M. Joaquim Moreira Da Silva Cunha.
Éducation : M. José Veiga Simão.
Travail, sécurité sociale et santé : M. Baltazar Rebello de Sousa.

PREMIER GOUVERNEMENT PROVISOIRE
(16 mai 1974)

Président du conseil : M. Adelino Palma Carlos.
Ministres d'État sans portefeuille : MM. Alvaro Cunhal (communiste), Francisco Sa Carneiro (parti populaire démocratique) et Francisco Pereira de Moura (Mouvement populaire démocratique).
Intérieur : M. Magalhães Mota (parti populaire démocratique).
Affaires étrangères : M. Mario Soares (socialiste).
Justice : M. Salgado Zenha (socialiste).

Travail : M. Avelino Pacheco Gonçalves (communiste).
Défense : colonel Mario Firmino Miguel.
Éducation et culture : M. Eduardo Correia.
Communications sociales (anciennement information) : M. Raúl Rego (socialiste).
Travaux publics : M. Pedro Nunes.
Coordination économique : M. Vasco Vieira de Almeida.
Équipement social et environnement : M. Manuel Rocha.
Affaires sociales : M. Mario Murteira.
Coordination interterritoriale (anciennement outre-mer) : M. Antonio de Almeida Santos.

DEUXIÈME GOUVERNEMENT PROVISOIRE
(19 juillet 1974)

Premier ministre : colonel Vasco Gonçalves.
Ministres d'État : commandant Vitor Alves, commandant Melo Antunes; M. Alvaro Cunhal; M. Magalhães Mota.
Intérieur : colonel Da Costa Bras.
Affaires étrangères : M. Mario Soares.
Justice : M. Salgado Zenha.
Environnement : M. José Augusto Fernandes.
Travail : capitaine Costa Martins.
Affaires sociales : Mme Maria de Lourdes Pintasilgo.
Économie : M. Rui Vilar.
Finances : M. José Silva Lopes.
Information : commandant Sanches Osorio.
Éducation : M. Magalhães Godinho.
Défense : lieutenant-colonel Firmino Miguel.
Coordination interterritoriale : M. Almeida Santos.

TROISIÈME GOUVERNEMENT PROVISOIRE
(1er octobre 1974)

Premier ministre : général Vasco Gonçalves.
Ministres d'État : commandant Vitor Alves, commandant Melo Antunes, M. Alvaro Cunhal, M. Magalhães Mota.
Intérieur : colonel da Costa Bras.
Affaires étrangères : M. Mario Soares.
Défense : général Vasco Gonçalves et commandant Vitor Alves.

Coordination interterritoriale : M. Almeida Santos (sans appartenance politique, proche des socialistes).
Justice : M. Salgado Zenha (P.S.).
Environnement : M. José Augusto Fernandes (sans app.).
Travail : capitaine Costa Martins.
Affaires sociales : Mme Maria de Lourdes Pintasilgo (sans app.).
Économie : M. Rui Vilar (membre de la Société d'études pour le développement économique et social, « technocrate libéral », proche des socialistes).
Finances : M. José Silva Lopes *(id.)*.
Éducation : M. Magalhães Godinho (sans app., proche des socialistes).

QUATRIÈME GOUVERNEMENT PROVISOIRE
(26 mars 1975)

Premier ministre : général Vasco Gonçalves.
Ministre sans portefeuille : M. Alvaro Cunhal (communiste); M. Mario Soares (socialiste); M. Francisco Pereira de Moura (M.D.P.); M. Joaquim Magalhães Mota (P.P.D.).
Affaires étrangères : commandant Ernesto Melo Antunes.
Planification et coordination économique : M. Mario Murteira (ex-M.D.P.).
Intérieur : commandant Antonio Metelo.
Défense : capitaine Silvano Ribeiro.
Travail : commandant José Costa Martins.
Éducation : commandant José da Silva.
Communication sociale (information) : capitaine Jorge Correia Jesuino.
Finances : M. José Joaquim Fragoso (M.D.P.).
Industrie : M. João Cravinho (ex-MES, proche M.D.P.).
Agriculture : M. Fernando Oliveira Baptista.
Commerce extérieur : M. José da Silva Lopes.
Affaires sociales : M. Jorge Carvalho Sa Borges (P.P.D.).
Justice : M. Francisco Salgado Zenha (socialiste).
Infrastructures sociales et environnement : colonel José Augusto Fernandes.
Transports et communications : M. Alvaro Veiga de Oliveira (communiste).
Coordination entre les territoires d'outre-mer : M. Antonio de Almeida Santos (sans étiquette, proche du P.S.).

CINQUIÈME GOUVERNEMENT PROVISOIRE
(8 août 1975)

Premier ministre : général Vasco Gonçalves.
Vice-premiers ministres : lieutenant-colonel Arnão Metelo et M. Teixeira Ribeiro.
Défense : capitaine de vaisseau Silvano Ribeiro.
Administration interne : major Căndido de Moura.
Justice : conseiller Rocha e Cunha.
Planification et coordination économique : M. Mario Murteira.
Finances : M. José Joaquim Fragoso.
Industrie et technologie : capitaine Quiterio de Brito.
Agriculture et pêche : M. Oliveira Baptista.
Commerce extérieur : M. Domingo Lopes.
Affaires étrangères : M. Mario Ruivo.
Marine : amiral Pinheiro de Azevedo.
Armée : général Carlos Fabião.
Équipement social et environnement (transports et communications a.i.) : M. Henrique Oliveira e Sa.
Éducation et recherche scientifique : major Emilio da Silva.
Commerce intérieur : M. Macaista Malheiros.
Travail : major Costa Martins.
Affaires sociales : M. Pereira de Moura.
Communication sociale et culture : commandant Correia Jesuino.
Secrétaire d'État à la décolonisation : M. Jorge Augusto Ferro Ribeiro.
[*Un nouveau Premier ministre a été nommé le 29 août en la personne de l'*amiral Pinheiro de Azevedo.]

SIXIÈME GOUVERNEMENT PROVISOIRE
(19 septembre 1975)

Premier ministre : amiral José Pinheiro de Azevedo.
Affaires étrangères : major Melo Antunes.
Finances : M. Francisco Salgado Zenha (P.S.).
Commerce extérieur : M. Jorge Campinos (P.S.).
Commerce intérieur : M. Joaquim Magalhães Mota (P.P.D.).
Agriculture et pêche : M. Antonio Lopes Cardoso (P.S.).
Transports et communications : M. Walter Rosa (P.S.).
Communication sociale (information) : M. Antonio Almeida Santos (proche P.S.).
Affaires sociales : M. Jorge Sa Borges (P.P.D.).

Équipement social : M. Alvaro Veiga de Oliveira (P.C.).
Industrie et technologie : M. Marques do Carmo (indépendant).
Administration interne : commandant Almeida Costa.
Travail : capitaine Tomas Rosa.
Justice : M. Pinheiro Farinha (indépendant, ex-procureur de la République).
Éducation et recherche scientifique : commandant Vitor Alves.

Index des noms cités

253

Table des matières

ACHEVÉ D'IMPRIMER SUR LES
PRESSES DE L'IMPRIMERIE FLOCH
A MAYENNE LE 19 FÉVRIER 1976
N° 14038
CALMANN-LÉVY, 3, RUE AUBER
PARIS-9ᵉ — N° 10390
Dépôt légal : 1ᵉʳ trimestre 1976